武林五賊
무림오적

무림오적 39

초판 1쇄 발행 2022년 2월 28일

지은이 | 백야
발행인 | 신현호
편집장 | 이호준
편집부 | 송영규 최종건 정재웅 양동훈 곽원호 조정범 강준석 최성화
편집디자인 | 한방울
영업 | 김민원

펴낸곳 | ㈜디앤씨미디어
등록 | 2002년 4월 25일 제20-260호
주소 | 서울시 구로구 디지털로 26길 111 JnK디지털타워 503호
전화 | 02-333-2513(대표)
팩시밀리 | 02-333-2514
E-mail | papy_dnc@dncmedia.co.kr
블로그 | blog.naver.com/gnpdl7

ISBN 978-89-267-1892-6 04810
ISBN 978-89-267-3458-2 (SET)

백야 신무협 장편소설
PAPYRUS ORIENTAL FANTASY
39
무림오적
武林五賊
PAPYRUS
파피루스

1장.

무너지는 금해가

과거 무림의 대종사(大宗師)라 불리는 이들이 그러했던 것처럼.
그 대종사라 불리는 이들에게 있어서 스승이라는 존재가 미미했던 것처럼.
그들은 홀로 우뚝 설 것이고 홀로 빛날 것이다.

1. 금해가

설벽린 일행과 갈라진 강만리는 곧 나룻배를 저어 악양루 쪽으로 다가갔다.

기슭을 가득 메웠던 관중들은 이미 집으로 돌아간 지 오래였다. 주변을 경계하고 있던 태극천맹과 금해가의 무사들도 강만리 일행을 추격하는 쾌속선에 올라타고 백귀도 주변에 모여 있었다. 당연히 악양루 근처에는 몇몇 경비를 서는 무사들만이 남아서 불을 밝히고 있었다.

강만리는 야심을 틈타 조용하고 은밀하게 배를 몰았다. 그들을 태운 나룻배는 찰랑이는 수면 위를 미끄러지듯 움직여 악양루 기슭에 닿았다.

"정말 남아 있을까요?"

장예추가 악양루를 올려다보며 나지막한 소리로 물었다. 강만리는 당연하다는 듯이 고개를 끄덕이며 대꾸했다.

"물론이다. 비상용으로 남겨 둔 게 분명히 있을 것이다. 놈들에게 그럴 머리가 있다면 말이지."

강만리는 가볍게 몸을 날려 기슭에 올랐다. 나찰염요와 담우천이, 그리고 장예추가 그 뒤를 따라 기슭에 올랐다. 주인 잃은 나룻배는 흔들리는 물결을 따라 천천히 기슭에서 벗어났다.

장예추가 강만리 앞으로 나서며 소곤거렸다.

"그럼 제가 확인하겠습니다."

강만리는 살짝 눈살을 찌푸렸지만 곧 아무 말 없이 고개를 끄덕였다. 은잠과 잠입, 기습 등에 관해서는 아무래도 자신보다 장예추의 실력이 월등하다는 걸 잘 알고 있었기 때문이었다.

장예추는 소리 없이, 한 마리 사슴처럼 날렵하고 경쾌하게 기슭을 올랐다. 그리고는 악양루를 지탱하는 기둥을 잡고 원숭이처럼 기어 올라갔다.

"읔."

"큭."

낮은 신음이 악양루 위에서 희미하게 새어 나왔다. 그리고 악양루 난간 사이로 장예추의 머리가 쑥 튀어나왔다.

"올라오셔도 됩니다."

사람들은 훌쩍 몸을 날려 악양루 위로 뛰어올랐다. 그곳에는 장예추 홀로 우뚝 서 있는 가운데, 다섯 명의 무사들이 아무렇게나 널브러져 있었다.

장예추는 강만리를 바라보며 싱긋 웃었다.

"형님 말씀이 맞았습니다. 확실히 폭죽이 남아 있었네요."

강만리는 악양루 구석진 자리에 거적으로 덮여 있는 폭죽을 바라보며 고개를 끄덕였다.

"놈들도 나름대로 머리가 있나 보군. 그럼 얼른 화약만 챙기자."

강만리와 장예추는 서둘러 폭죽들을 분해하기 시작했다. 폭죽은 여러 종류가 있었다. 둥근 폭죽, 화살 모양의 폭죽 등의 모양에서부터 수박만 한 것이나 궤짝만 한 크기까지 그 크기가 각각 달랐다.

하지만 모든 폭죽의 기본 원리는 같았다. 가느다란 대통 속에 종이를 말아 그 속에 화약을 다져 넣고 터뜨리는 게 폭죽의 기본 원리인 만큼 폭죽을 분해하면 한 근에서 수십 근의 화약들을 얻을 수 있었다.

강만리와 장예추는 쓰러져 있는 무사들의 옷을 벗긴 후, 그 위로 폭죽을 분해 하고 얻은 화약을 조심스레 한데 모았다. 그러는 동안 동안 담우천과 나찰염요는 주변을 둘러보며 경계하고 있었다.

멀리 백귀도 쪽으로 모여든 불빛들이 희미하게 반짝이고 있었다. 대략 백 척은 족히 되어 보이는 불빛들이었다.

그 수는 한밤중임에도 불구하고 점점 더 늘어나고 있었는데, 놈들은 아직도 강만리 일행이 백귀도에 있다고 생각하는 모양이었다.

"이 정도면 되겠지."

강만리는 화약이 가득 담긴 옷들을 꽁꽁 묶으며 중얼거렸다. 장예추는 무사들의 바지를 벗기고 길게 찢어서 배배 꼬아 심지를 만들었다.

그러고는 강만리가 꽁꽁 묶은 옷 보자기에 심지를 매달았다. 세 벌의 옷이 간단하게 세 개의 폭탄으로 바뀌는 과정이었다.

"그럼 가시죠."

장예추가 두 개의 폭탄을, 강만리가 하나의 폭탄을 챙겨든 후 자리에서 일어났다.

담우천이 차분한 어조로 말했다.

"서쪽으로 인기척이 없더군. 그곳으로 돌아가는 게 나을 것 같다."

"그렇게 하죠."

네 사람은 곧 악양루에서 훌쩍 뛰어내렸다. 장삼이 바람에 펄럭이는 가운데, 그들은 서쪽 어둠 깊은 곳을 향해 경공술을 펼쳤다.

담우천의 말은 사실이었다. 서쪽으로는 따로 경계를 서는 이들의 모습이 전혀 보이지 않았다. 그들은 서쪽으로 크게 우회하여 악양부 성으로 접근했다.

성벽은 높았고 군데군데 횃불을 밝힌 채 경비를 서는 포졸들이 있었지만 강만리 일행은 전혀 개의치 않았다.

그들은 횃불과 횃불 사이, 은밀하게 어둠이 내려앉은 공간을 향해 가볍게 몸을 날렸다.

삼사 장 높이의 성벽은 그들에게 있어서 아무런 장애가 되지 않았다. 조는 듯 혹은 아무 생각이 없는 듯한 눈빛으로 멍하니 성 밖을 지켜보고 있는 포졸들의 시선 역시 그들의 행적을 절대 알아차릴 수 없었다.

아무 소리도 내지 않고 성벽에 오른 그들은 곧장 악양부 성내로 뛰어내렸다. 이번에는 장삼 펄럭이는 소리조차 나지 않았다.

간단하게 성벽을 통과한 그들은 곧장 금해가로 날아갔다. 지붕과 지붕을 밟으며 쉴 새 없이 도약하는 그들의 경공술은 마치 올빼미가 밤하늘을 나는 것처럼 아무런 소리도 내지 않은 채 일직선으로 금해가를 향했다.

금해가는 남북으로 직사각형 형태를 한 거대한 장원이

었다. 금해가의 경계를 짓는 외벽이 있었고, 그 안에 다시 중벽, 내벽이 있어서 세 구역으로 구획되어 있었다.

외벽과 중벽 사이에는 일반 하인들과 시녀, 하급 무사들이 거주하는 공간이 마련되어 있었다. 중벽과 내벽 사이의 공간에는 금해가의 식객들의 거처가 있었고, 중진들과 상급 무사들이 머물고 있었다.

내벽 안쪽이 금해가 가주와 그의 식솔들이 거주하는 공간이었다. 은밀하고 안전한 구중심처, 바로 그곳이 금해가주 초일방과 초운혜들이 있는 곳이었다.

모든 것이 잠들어 있는 다른 곳과는 금해가는 불야성을 이루고 있었다. 곳곳에 화톳불과 횃불이 밝혀져 있었고 석등에도 불이 환하게 켜져 있었으며, 분주히 오가는 사람들과 쉴 새 없이 순찰을 도는 무사들이 있었다.

"재미없군."

멀리 남쪽으로 금해가 전경이 내려다보이는 오 층 건물 지붕 위에 우뚝 선 채 강만리가 투덜거렸다.

"누군가 제법 머리가 돌아가는 자가 있나 보다. 경계를 서는 무사들이 거의 없을 줄 알았는데 이건 뭐 평소보다 더 많아 보이니……."

"저렇게 눈에 띄게 경계를 서는 걸 보면 아예 접근할 생각조차 하지 말라는 경고인 것 같습니다."

"그러니까."

강만리는 장예추의 말에 고개를 끄덕이며 입을 열었다.

"그건 다시 말해서 속 빈 강정과 같다는 의미이겠지. 요란하게 짖는 개일수록 의외로 겁쟁이인 것처럼."

"그럴 수도 있겠지만 어쨌든 조심해야 합니다."

"그야 당연한 일이고."

강만리는 뒤를 돌아보며 말을 이었다.

"저와 예추가 하나씩 챙기겠습니다. 그리고 형님과 형수님은 함께 움직이시는 게 좋을 것 같습니다. 굳이 내당까지 들어갈 필요는 없습니다. 저기 외곽 쪽에 보이는 고루거각(高樓巨閣) 어디든 상관없습니다. 그저 폭약을 터뜨리고 화재를 일으켜서 사람들의 이목을 끌기만 하면 되니까요."

"알겠네."

담우천이 대답하는 동안 나찰염요는 장예추가 건네주는 옷 보자기 하나를 받아 들었다. 화약이 가득 담긴 보자기였다.

"그럼 앞으로 일각 동안 일을 벌이고 이각 후에 다시 이곳에서 모이기로 합시다. 가장 중요한 건 안전입니다. 더 이상 다치는 사람이 나와서는 안 됩니다."

강만리는 진지하게 말했다.

"그러니 만약 일을 그르쳤다 싶을 때는 보자기를 집어 던지고 바로 도망치시기 바랍니다. 저도 그리할 테니까요."

"알겠네. 그럼 나는 오른쪽 누각을 맡겠네."

"그럼 저는 남쪽 건물을 불태우겠습니다."

"굳이 날 위해서 그럴 필요까지는……."

"제가 가장 날래니까요."

"으음, 뭐 그럼 내가 왼쪽 고루를 맡지."

그렇게 세 사람의 목표물이 순식간에 정해졌다.

"이각 후에 봅시다."

강만리는 말을 끝내자마자 곧장 지붕을 박차고 허공을 날았다. 장예추는 강만리가 금해가를 향해 날아가는 뒷모습을 지켜보면서 중얼거렸다.

"정식으로 사부를 모시고 무공을 배운 적이 없다는 게 너무나 놀라울 따름입니다."

담우천이 고개를 끄덕이며 말을 받았다.

"어린 시절부터 체계적으로 무공 수련을 했다면 아마 세상에서 가장 강한 인물이 되었을 게다."

"그래서 아쉽고 안타깝습니다. 사실 강 형님 같은 분이 천하 위에 군림하시면서 세상을 다스려야 하는데 말입니다."

"흠."

'과연 그럴까?'

담우천은 그런 말을 하려다가 입안으로 삼켰다. 그러고는 나찰염요를 돌아보며 화제를 바꿨다.

"그럼 우리도 출발하세."
"네."
"조심하게."
담우천은 장예추에게 당부의 목소리를 낸 다음, 곧바로 금해가를 향해 경공술을 펼쳤다.
나찰염요와 어깨를 나란히 한 채 허공을 날아가는 모습은 우아하면서도 아름답기까지 했다. 조금 전 강만리와는 확실히 한 차원이 다른 경공술이었다.
"나도 질 수 없지."
장예추는 배 속에 옷 보자기를 쑤셔 넣고는 있는 힘껏 기와를 박차고 밤하늘을 날았다. 단 한 번의 도약으로 그는 세 사람 중 가장 높이, 멀리 날아갔다.
허공 높이 솟구친 장예추는 두 팔과 다리를 활짝 벌리며 내공을 사방으로 분산했다. 그의 소매와 바지가 풍선처럼 탱탱해졌다. 이내 그는 한 마리 날다람쥐가 되어 허공을 활강하기 시작했다.
취몽월영의 절기 중 하나인 월야천비공(月夜天飛功)이라는 경공술이었다.
비록 타 경공술에 비해 속도는 조금 느리지만 대신 한 점 기척이나 소리 없이 밤하늘 높이 미끄러지듯 날아가는 월야천비공은, 아무도 모르게 경비망을 뚫고 침입하는 데에는 으뜸이라 할 수 있었다. 그야말로 도둑질을 위해 만들어진 최고의 경공술이라고나 할까.

밤하늘 높이 활강하는 장예추의 아래로 강만리가 왼쪽 고루에, 나찰염요와 담우천이 오른쪽 전각에 표표히 내려서는 광경이 보였다.

'우선은 성공이다. 다들 눈치채지 못한 것 같으니.'

장예추는 넓은 시야로 금해가 곳곳을 두루 살피면서 계속해서 바람을 타고 남쪽으로 날아가다가, 오른손과 오른발을 가볍게 놀려 방향을 바꿨다. 순간적으로 목표물을 바꾼 것이다.

금해가 정중앙에는 오 층 누각이 우뚝 서 있었다. 악양의 다른 건물에 비하면 칠 층 높이에 달하는 높고 웅장하며 장대한 누각이었다.

그곳 오 층 양대에서는 악양부 전체가 한눈에 들어왔다. 성내는 물론, 멀리 동정호까지 조망권(眺望圈)에 속할 정도로 높은 누각이었다.

'이왕 불태울 거, 이 정도면 다들 혼비백산하겠지.'

장예추는 그렇게 생각하며 양손을 휘저어 방향을 조정, 오 층 누각의 지붕 위에 안착했다. 높은 꼭대기 지붕 위로는 세찬 바람이 휘몰아치고 있었다.

장예추는 가볍게 몸을 날려 양대(陽臺)로 내려왔다. 금해가 내부에는 수십수백 명의 사람들이 있었지만 아직 누구 하나 장예추들의 잠입을 알아차린 자들이 없었다.

'문제는 지금부터겠지.'

예서 폭약을 터뜨려 봤자 별 소용이 없었다. 제대로 불을 내려면 누각 꼭대기가 아닌 삼사 층 정도에서 폭약을 터뜨려야 했고, 아예 무너뜨리려면 맨 아래층까지 내려가서 터뜨리는 게 최고였다.

이 누각이 어떤 용도로 사용하는 곳인지 장예추는 알 수가 없었다. 내벽 한가운데 자리 잡은 만큼, 어쩌면 금해가주의 거처일 수도 있었고 또 어쩌면 수뇌부들이 모여 회의를 하는 본청일 수도 있었다.

어쨌든 외곽 지역의 다른 건물들에 비해서는 보다 고강한 무사들이 훨씬 더 엄중한 경계를 펼치고 있을 게 분명했다.

'조심해야 한다.'

장예추는 그렇게 생각하면서 양대 밖으로 몸을 내밀고는 곧바로 벽에 달라붙었다. 벽을 따라 아래층으로 기어 내려갈 계획이었다.

2. 엉뚱한 생각

장예추에게 있어서 한 손가락으로 벽을 짚고 내려가는 일 따위는 숨 쉬는 것처럼 간단한 일이었다.

지금의 장예추라면 이 벽이 유리처럼 잡을 만한 곳이 전혀 없다 할지라도 손가락과 손바닥의 흡착력만으로 충분히 짚고 내려갈 수가 있었다.

그렇게 손가락만의 힘을 이용하여 천천히 오 층 누각의 벽을 타고 내려가던 장예추의 뇌리에 문득 잊고 있었던 옛 생각이 떠올랐다.

'그러고 보면 강 형님이 참 대단하기는 하다니까.'

아마 재작년 가을의 일이었을 것이다.

장예추는 뭔가 생각할 것이 있어서 채 손가락보다도 가느다란 나뭇가지에 거꾸로 매달린 채 상념에 젖어 있었다. 가끔 이런 식으로 거꾸로 매달려 있으면 외려 집중이 더 잘되는 기분이 들었던 까닭이었다.

그 모습을 지나가던 강만리가 보고 다가와 물었다.

"그게 무슨 수련 방식인가?"

장예추는 자신의 명상이 깨진 게 살짝 화가 나기도 하고, 이걸 수련법이라고 생각한 강만리가 우습기도 해서 짐짓 진중한 표정을 지으며 말했다.

"도첨편복(倒檐蝙蝠)이라는 무공입니다. 따로 도권주렴(倒捲珠簾)이라고 하는 이들도 있죠."

도첨편복은 처마에 거꾸로 매달린 박쥐라는 뜻이다. 도권주렴은 문간에 매달린 주렴을 가리켰다. 어쨌거나 무공이라고 할 것도 없는 소소한 잔재간에 불과했다.

하지만 강만리는 장예추의 짓궂은 농담을 꽤 진지하게 받아들였다. 그는 턱살을 매만지면서 장예추의 아래위를 훑어보며 고개를 끄덕였다.

"그렇게 가느다란 나뭇가지에 매달렸는데도 부러지거나 흔들리지 않는다는 건, 곧 자신의 무게를 분산시킬 줄 알아야 하며 또한 무게 중심이 일정해야 한다는 의미이겠군. 그렇다는 건 다시 말해서 보법과 경신술, 경공술에 특화된 수련법이겠군그래."

웃음을 참으며 듣고 있던 장예추의 눈이 휘둥그레졌다. 전혀 의외의 발상이었는데 또 듣고 보니 그럴 법하다고 느껴지는 생각이었던 게다.

"좋아. 안 그래도 경공술 쪽이 매우 부족하던 참이었다. 나도 따라 수련을 하지."

강만리는 그렇게 말하며 단번에 뛰어올라 나뭇가지에 매달렸다. 물론 나뭇가지는 강만리의 무게를 견디지 못해 부러졌고, 쿵! 하는 소리와 함께 그는 지면에 곤두박질쳐야 했다.

그러나 강만리는 전혀 아픈 티를 내지 않고 계속해서 나뭇가지에 매달렸다. 나뭇가지가 부러지고 떨어지고 다시 매달리기를 수없이 반복하는 강만리를 지켜보다가 장예추는 한숨을 쉬며 말했다.

"그거 잘 매달린다고 해서 경공술이 늘거나 하지는 않을 겁니다."

강만리는 아무 대꾸 없이 무작정 매달리기를 반복했다. 지켜보던 장예추가 포기하고 자리를 뜬 후에도 강만리는 온종일 그 행동을 반복했다.

시간이 흐르고 날이 바뀌고 달이 바뀌었다. 이미 그때의 일은 까마득하게 잊었을 무렵, 강만리가 자랑스러운 표정을 지으며 장예추를 불렀다.

장예추는 무슨 일인가 싶어 그를 따라 정원으로 나갔다. 잎이 다 지고 앙상한 뼈대만이 남은 나뭇가지, 이미 마를 대로 말라서 살짝만 힘을 줘도 그대로 부러질 것 같은 나뭇가지. 강만리는 그 위에 두 발을 걸치며 거꾸로 매달렸다.

"어때? 이제 제법 잘하지?"

장예추의 눈이 휘둥그레졌고, 강만리는 껄껄 웃으며 말했다.

"이제는 발끝으로도 매달릴 수가 있지. 발가락 하나만 걸치고도 온종일 매달린 채 잠잘 수도 있고."

장예추는 그제야 알 수 있었다. 삼십대 초중반에 이르러 무공을 익히기 시작한 그가 어떻게 십 년도 채 되지 않은 사이에 초절정의 고수가 될 수 있었는지를 말이다.

'그런 노력이 있었으니까. 그리고 그렇게 유연한 사고 방식과 자유로운 발상을 할 수 있으니까.'

어찌 보면 스승의 가르침은 양면의 동전과 같았다.

스승의 가르침을 따르면 보다 쉽고 빠르고 정확하며 안전하게 산에 오를 수가 있었다. 어쨌든 스승이 한번 가 본 길이었으니까.

그러나 산 정상으로 이르는 길은 오직 하나만 존재하는 게 아니었다. 이런 길, 저런 길, 험한 길, 혹은 보다 쉬운 길 등 수많은 길이 정상을 향해 이어져 있었다.

하지만 스승의 가르침을 받게 되면 이미 스승이 가 본 길 말고는 전혀 알 수가 없게 된다.

산 정상으로 이르는 길은 수 없이 많지만 다른 길이 어떻게 생겼는지 전혀 알지 못한 채 오로지 스승의 말만 믿고 무작정 한 길만 따라 오르고 또 오를 수밖에 없었다.

그러다가 미처 스승이 부딪치지 않았던 문제에 부딪치거나 혹은 더 이상 스승이 오르지 못한 곳까지 오르게 되면, 제자는 홀로 그 난관을 벗어나지 못하고 헤매다가 결국 포기한다. 그게 대부분의 사정이었다.

강만리 같은 경우라면 다를 것이다. 홀로 등산을 시작한 자들은 이 길도 가 보고 저 길도 가 보고 막힌 길도 돌아가기를 반복하면서 산을 오른다.

물론 중도에서 포기하는 자들은 저 홀로 난관을 헤쳐

나가지 못해 포기하는 자들보다 훨씬 많을 것이다. 그것도 더 낮은 곳에서.

당연한 일이었다. 그게 정상인 게다. 한 번 가 본 자의 안내라는 게 그만큼 중요하니까.

그러나 중도에서 포기하지 않는 자들은 외려 스승에게 가르침을 받은 제자들보다 훨씬 더 높은 곳까지 이르게 될 것이다.

과거 무림의 대종사(大宗師)라 불리는 이들이 그러했던 것처럼, 그 대종사라 불리는 이들에게 있어서 스승이라는 존재가 미미했던 것처럼 그들은 홀로 우뚝 설 것이고 홀로 빛날 것이다.

'과연 강 형님도 그런 존재가 될까?'

장예추의 엉뚱한 생각이 그런 의문에 다다랐을 때였다. 벽 아래쪽에서 누군가 대화를 나누는 소리가 들렸다. 장예추는 퍼뜩 정신을 차렸다.

'이런, 적지 한복판에서 엉뚱한 생각이나 하고 있다니.'

장예추는 눈살을 찌푸리며 정신을 집중했다.

그는 이미 삼 층을 지나 이 층 창가 위의 벽에 매달려 있었다. 그리고 대화는 이 층에서 들려오고 있었다.

장예추는 잠시 생각하다가 예의 그 도첨편복의 자세, 발가락 끝으로 벽에 거꾸로 매달리는 자세를 취했다. 시야 끝자락으로 내부의 풍경이 들어왔다.

대청처럼 넓은 방이었다.

방 중앙에는 오륙십 명이 앉을 수 있는 커다란 탁자가 놓여 있었는데, 지금은 십여 명의 사람이 모여 앉아서 열띤 의견을 나누고 있었다. 그중에는 장예추와도 안면이 있는 이가 있었다.

장예추의 시선이 살짝 움직였다. 탁자 앞쪽으로 따로 앉은 채 그들의 대화에 귀를 기울이고 있는, 푸근하고 인자하게 생긴 노인이 그의 시선에 잡혔다.

일순 거꾸로 매달린 채 방 안을 훔쳐보던 장예추의 눈빛이 반짝였다.

'금해가주!'

단 한 번도 마주친 적이 없었지만 그 노인이 금해가주 초일방이라는 건 본능적으로 알 수 있었다.

비록 오대가문의 가주들 중에서 가장 약한 무위를 지녔다고는 하지만 저 위엄과 기세, 품격과 기도는 결코 함부로 흉내를 낼 수 없는 절대자(絕對者)의 그것이었으니까.

장예추가 초일방에게서 시선을 떼지 않는 동안에도, 탁자에 둘러앉아 있는 이들의 대화는 끊이지 않고 이어지고 있었다.

"강서낭추 조태수는 현재 신 순찰단주가 신문 중입니다. 피독주를 비롯한 보주들의 주인이 누구인지 집중적으로 캐묻는 중이지만 쉽게 입을 열지 않고 있습니다."

"당연한 일이오. 의뢰인이 누구인지 밝히게 된다면 거간꾼으로서의 생명은 거기에서 끝난다고 할 수 있으니까."

"그렇다고 사정은 봐줄 상황은 아니오. 그리고 비선의 비월을 상대로 싸웠던 자들 중에서 금룡회에서 모습을 드러냈던 인물들과 인상착의가 같은 자들이 있었던 만큼, 그 화선에 타고 있던 모든 인물들을 조사해야 하오."

"하지만 그러기에는 워낙 쟁쟁한 이들이 많습니다. 대륙전장의 장주부터 시작하여 호남의 명문 호족인 공씨(孔氏) 가문의 장남 등 쉽게 손댈 수 없는 자들이 대부분입니다."

"그렇게 신원이 확실한 사람들을 제외하면 될 게 아니오?"

"그럼 화선에 남아 있는 이들 중 따로 조사할 만한 사람이 없게 됩니다. 의심스러운 자들은 이미 화선을 떠나 자취를 감춘 후입니다."

"허어, 그게 말이나 되오? 가주의 혜안으로 그 경매가 수상쩍다는 걸 미리 알아차리고 모든 준비를 다 마친 상황이 아니었소?"

"생각보다 고강한 자들이 많았다 하오. 그 금룡회의 괴한들뿐만 아니라 삿갓을 쓴 검은 무복의 다섯 명 또한 감히 그 앞을 막을 수 없을 정도로 고강한 무공을 지녔다더구려. 우리의 포위망을 뚫고 화선을 탈출하여 동정호를 벗어난 대부분의 인물들이 그 정도의 무위를 지닌 고수들이라 하오.”

“믿을 수 없는 일이기는 하오. 강호에 고수가 모래알처럼 많다고는 하지만 그렇게 많은 절정의 고수들이 화선에 모여들다니 말이오.”

“확실히 이번 일은 심상치 않습니다. 장사 위지휘사사의 갑작스런 행군도 그렇고, 또 화선에 출몰했던 괴한들의 수가 금룡회 때보다 더 늘어난 것도 심상찮습니다.”

“그들 역시 원군이 생겼다는 뜻이겠구려. 장사위지휘사사의 행군으로 우리의 이목을 분산시킨 다음, 놈들과 합류한 게 분명하오.”

“하지만 그렇다면 왜 아직도 악양부를 떠나지 않고 남아 있었을까요? 역시 가주께서 예측하신 대로 그 보주의 경매대금을 회수하기 위해 남아 있었을까요? 만약 그렇다면 굳이 그 화선에 모습을 드러낼 필요가 있었을까 하는 의문이 생깁니다. 도망칠 곳도 변변치 않은 화선보다는 수정루에서 기다리고 있는 게 더 안전했을 텐데 말입니다.”

“우리가 포위망을 형성할 줄을 몰랐을 것이오. 또 때마침 그 자리에 비선주가 있을지도 몰랐을 테고. 어쩌면 조태수가 경매 대금을 가지고 도주할 거라고 의심했는지도 모르오.”

"음, 조태수를 의심하지는 않았을 것이오. 그래도 그쪽 세계에서는 나름대로 인정을 받는 견객(捐客)이니 말이오."

"어쨌든 지금 그들은 백귀도에 머물고 있소. 그들이 굳이 백귀도를 찾은 이유가 따로 있는지 궁금하오."

"백귀도에는 귀영신의 초 노옹(老翁)께서 은거하고 계시오. 작년인가 풍병에 걸린 이후 오늘내일한다는 소식까지 들었소."

"몇 달 전 태극천맹과 건곤가에서 차례로 백귀도를 방문했던 적이 있습니다. 아마도 삼정활혼단을 구하기 위한 방문이었을 겁니다."

"허어. 삼정활혼단이라니, 그게 남아 있었으면 풍병에서 완쾌되어도 몇 번이나 완쾌되었을 텐데."

"태극천맹과 건곤가 사람들은 그 속사정을 전혀 모르고 있었으니까요. 어쨌든 금룡회의 괴한들이 굳이 초 노옹을 만나기 위해 백귀도를 선택한 건 아니라고 생각합니다. 무엇보다 그들 사이에 접점이 없으니까요."

"흠, 듣기로는 금룡회 괴한 중 한 명이 곤륜파의 곤륜노군과 흡사하다는 것 같던데."

"설마요. 천하의 곤륜노군께서 어찌 그런 악당들과 한패가 되어 움직이겠소?"

"나도 그래서 믿지는 않았소."

“자자, 이야기가 자꾸 중구난방 어지러워지고 있소. 지금 우리가 집중적으로 논의할 것은 백귀도에 가둬 둔 놈들이 도망치지 못하도록 하는 것이오. 최대한 빨리, 모든 병력을 동원하여 백귀도 전역을 포위해야 하오.”

“이미 그러고 있습니다.”

“하지만 본 가에 아직 많은 고수들이 남아 있지 않소?”

“그건…… 우선 비선주께서 내린 지시 때문입니다. 자칫 빈집털이를 당할 수 있으니, 최소한의 전력은 남겨 두라고 하셨습니다.”

“흥! 우리가 언제 비선주의 지시를 따랐단 말이오?”

금해가 중진 중 한 명이 그렇게 코웃음을 칠 때였다. 의자 깊숙이 앉아서 가만히 대화를 듣기만 하던 초일방이 문득 천천히 입을 열었다.

“비선주의 혜안은 언제나 밝게 빛나오.”

일순 탁자 주변에 앉아 있던 사람들의 눈이 휘둥그레졌다. 그들은 거의 동시에 초일방을 돌아보았다.

초일방이 눈을 가느스름하게 뜨면서 말을 이었다.

“그러니 비선주의 지시를 따르는 게 현명하다 할 수 있겠지.”

누군가가 물었다.

“무슨 연유로 그리 생각하십니까?”

“이런 연유일세.”

초일방은 손을 들어 창밖을 가리켰다.

3. 그래도 아직 패착(敗着)은 아니니까

강만리, 담우천, 장예추는 이미 문경(門境)의 경지를 벗어난 초절정의 고수들이었다.

지난날 힘겹게 철목가주 정극신을 해치운 이후, 그들은 아직 자신들이 부족하다는 사실을 절감하고 각고의 노력을 통해 무위를 증진했다.

지금의 그들은 마음만 먹으면 단 한 번도 들키지 않고 황제의 침소까지 잠입할 수 있었으며, 설령 그 어떤 고수라 할지라도 그들에게 일대일의 승부를 자신할 수 없는 경지까지 이르러 있었다.

그들이 구중심처라고 할 수 있는 금해가 본진까지 생각보다 훨씬 쉽게 잠입할 수 있었던 건 바로 그러한 연유에서였다.

또한 장예추가 창을 통해 방안의 광경을 훔쳐보고 그들의 대화를 엿듣고 있음에도 불구하고 금해가의 수뇌진 중 누구 하나 장예추의 기척을 알아차리지 못한 것 역시 그러한 이유에서였다.

하지만 썩어도 준치라고 했던가.

세상 사람들에게 무인이 아니라 장사꾼에 불과하다는 오명과 비웃음을 사는 초일방이, 장예추의 기척을 눈치채고 지풍을 날린 것이다.

그가 창을 향해 손가락을 가리키는 순간, 새하얀 강기(罡氣)가 폭사되었다. 그 새하얀 강기는 주변 공기를 갈기갈기 찢어발기는 파공성과 함께 가공할 속도로 장예추의 이마를 가격했다.

장예추는 벽에 걸치고 있는 발끝의 힘을 이용하여 그대로 몸을 일으켜 세웠다. 새하얀 강기는 창을 뚫고 어두운 공간으로 사라졌다.

"누구냐!"

"적이다!"

뒤늦게 사람들의 고함이 창가 안쪽에서 터져 나왔다.

'쳇.'

장예추는 잠자코 있던 초일방이 입을 여는 순간, 무언가 심상치 않음을 깨닫고 벽에 걸친 발끝의 힘을 이용하여 몸을 일으켜 세웠다. 새하얀 강기가 창을 뚫고 어두운 공간 속으로 사라졌다.

장예추는 곧장 벽을 박차고 지면으로 뛰어내리면서 속으로 투덜거렸다.

'너무 안일하게 생각했다. 그래도 명색이 오대가문의 가주인데 말이지.'

십여 년 전, 자신의 사촌 동생인 천격패도(天擊覇刀) 초악(楚岳)이 공적십이마 중의 한 명인 유령신마 갈천노에게 살해당한 이후 초일방은 완벽하게 달라졌다.

차후 무림을 지배한 인물로 손꼽히던 초악이었기에, 그 사촌 동생에게 모든 걸 걸고 아낌없이 지원하던 초일방이었기에, 초악의 죽음은 그에게 큰 충격을 안겨다 주었다.

그리고 그 충격은 초일방이 그동안 방관하고 있던 무공 수련에 눈을 돌리게 했다.

사실 초일방이 무공에 열성을 다하지 않았던 이유는 천재라고 불린 사촌 동생의 존재가 컸다.

-무공이라면 초악에게 맡기면 된다. 그저 나는 초악이 군림천하(君臨天下)할 수 있도록 그 배경을 만들어 주면 된다. 그 첫 번째는 당연히 돈이다.

초일방은 그렇게 결심하고 '무인이 아닌 장사꾼'이라는 세상 사람들의 비난과 조롱을 감수하며 돈 벌기에 열중했다.

그러나 초악의 죽음으로 모든 것이 달라졌다.

초일방은 초악을 위해 준비했던 모든 것들을 자신에게 쏟아부었다. 수백만 금을 주고 사 두었던 온갖 보약과 영약, 환단을 아낌없이 복용했다.

또 거액을 들여 초빙한 초절정 고수들과 금해가의 원로 가신들에게 가르침을 받았다.

초악의 성명절기(盛名絕技)인 패도강림(覇刀降臨)과 천격파황도(天擊破荒)는 애당초 초씨 일가의 독문무공(獨門武功)이었다. 당연히 초씨 가문의 장자인 초일방 역시 그 구결을 외우고 있었다.

십 년이라는 세월은 강산도 변하게 만든다. 일개 사람 한 명 정도는 아예 다른 인물로 변하게 만들기에 충분한 세월이기도 했다.

그렇게 십여 년의 세월이 흐른 지금, 초일방은 어쩌면 이 고수 즐비한 금해가에서 가장 강한 인물일지도 몰랐다.

장예추는 그저 '무인이 아닌 장사꾼'이라는 세간의 소문에 현혹되어서, 미처 초일방의 무위가 어느 정도인지 파악할 생각을 하지 못했다.

그게 실착(失錯)이었다.

'그래도 아직 패착(敗着)은 아니니까.'

그렇게 생각하며 지면에 내려선 장예추는 힐끗 허공을 올려다보았다.

뒤늦게 이 층 창을 통해 서너 명의 사람들이 뛰어내리려 하고 있었다. 호각 소리가 울리고 사방에서 인기척들이 몰려왔다.

장예추는 허공을 향해 쌍장을 후려갈기며 빠르게 머리를 굴렸다.

'지금이라도 늦지 않았다. 퇴각하기에는 충분한 시간이 있다.'

하지만 이대로 물러날 수는 없었다. 아직 그의 품에는 임무를 완수하지 못한 옷 보자기 하나가 있지 않던가.

쾅! 쾅!

막 이 층에서 뛰어내리려던 자들이 장예추의 장력에 맞서 쌍장을 휘갈겼고, 장력과 장력이 부딪치는 소리가 폭죽처럼 요란하게 울려 퍼졌다.

"으윽."

미미한 신음이 굉음 사이로 흩어졌다. 장예추의 장력을 감당하지 못한 누군가의 신음이었다.

장예추는 곧장 일 층 대청으로 뛰어들었다. 시간을 벌기 위해 문을 걸어 잠근 후, 대청 중앙에 놓인 탁자와 의자들을 박살 냈다.

와지끈!

직후 이 층 계단을 따라 한 무리의 무사들이 빠르게 내려왔다.

장예추는 부러진 의자 다리를 하나 챙겨 들고 그 무리의 복판으로 뛰어들었다. 그는 무사들의 머리를 후려치고 어깨를 내리찍고 옆구리를 후려치면서 마구 날뛰었다.

경비무사들 또한 일류급에 해당하는 고수들이었지만 누구 하나 장예추의 일격을 막아 내는 자가 없었다. 그들은 비명을 지르고 신음을 내뿜으며 아무렇게나 바닥에 나동그라졌다.

단숨에 십여 명의 무사들을 쓰러뜨린 장예추는 산산조각 냈던 탁자와 의자들을 대청 기둥에 쌓았다. 그러고는 옷 보자기를 꺼내 들었다.

"거기까지."

창노한 음성이 장예추의 행동을 멈춰 세웠다. 장예추는 다시 옷 보자기를 품에 넣으며 고개를 돌렸다. 이 층 계단 앞, 초일방을 비롯해서 조금 전 회의에 참석했던 자들이 모두 내려와 있었다.

'젠장.'

장예추는 입술을 깨물었다.

열을 헤아릴 정도의 시간이 부족했다. 옷 보자기를 나뭇더미 밑에 놓고 심지에 불을 붙이고, 심지가 타들어 가서 폭발할 때까지의 시간.

쾅!

장예추가 주춤하는 사이, 대청 문이 박살 나고 수십 명의 무사들이 우르르 몰려들었다.

그게 전부가 아닐 것이다. 아마도 벌써 이 오 층 누각

일대에 수백 명의 포위망이 형성되어 있을 게 분명했다.

'길보다 흉이 많을 밤이로구나.'

장예추는 그렇게 생각하며 천천히 몸을 일으켜 세웠다. 그러고는 정중하게 두 손을 모아 초일방에게 인사했다.

"무림 말학이 금해가의 초 방주를 뵙습니다."

초일방의 눈썹이 꿈틀거렸다.

상대가 비록 험하고 악한 마음을 가지고 잠입한 게 분명했지만 그래도 이리 정중하게 나오니 초일방도 함부로 대할 수가 없었다.

그는 차분한 어조로 입을 열었다.

"자네가 교룡회에서 날뛰던 무리 중 한 명인가?"

장예추는 정직하게 대답했다.

"그렇습니다."

초일방 주위에 있던 수뇌진들의 눈길에서 맹렬한 살기가 번들거렸다. 초일방은 여전히 담담한 표정을 지은 채 재차 질문했다.

"화선에서 날뛰던 놈들 중 한 명이고?"

이번에도 장예추는 사실대로 대답했다.

"그렇습니다."

"으음."

"이런……."

일순 수뇌진의 입에서 한숨과 탄식이 흘러나왔다. 완벽

할 줄 알았던 그들의 포위망에 구멍이 난 것이다. 어쩌면 지금 모든 병력을 동원하여 백귀도를 포위하고 있는 게 헛수고인지도 모른다.

초일방도 그리 생각한 모양이었다. 그는 조금 전보다 더욱 진지한 눈빛으로 장예추를 쏘아보며 입을 열었다.

"그리고 백귀도에 갇혀 있던 무리 중 한 명이겠고."

장예추는 스스럼없이 거짓말을 했다.

"백귀도가 어디인지요?"

초일방은 가만히 장예추의 표정을 훑었다. 그가 지금 거짓말을 하는지 사실을 말하는지 확인하기 위함이었다.

그러나 수십 년 동안 온갖 능구렁이 같은 장사꾼들과 마주하면서 그들의 속내를 뚫어 보았던 초일방조차 지금 저렇게 무심하게 서 있는 장예추의 표정만으로는 그게 사실인지 거짓인지 알아낼 수가 없었다.

초일방은 잠시 생각하다가 다시 물었다.

"무림오적이라는 자들 중 한 명인가?"

순간 장예추의 눈빛이 저도 모르게 흔들렸다. 거짓말을 해야 할지, 사실대로 말해야 할지 순간적으로 망설인 것이다.

초일방은 고개를 끄덕였다.

"무림오적 중 한 명이로군그래."

'바보 같으니라고.'

장예추는 입술을 깨물었다.

상대가 상대이니만큼 전혀 흔들리지 않았어야 했다. 그 찰나의 흔들림을 초일방은 정확하게 꿰뚫어 보았고, 그리하여 처음으로 무림오적 중 한 명의 얼굴이 세상에 드러나게 된 것이다.

바로 그때였다.

콰앙!

천지가 진동하는 굉음이 금해가 외곽 지역에서 터졌다. 사람들이 깜짝 놀라며 당황해했다. 장예추의 자세가 살짝 낮아졌다.

굉음은 그게 끝이 아니었다.

콰앙!

또 다른 굉음이 이번에는 금해부 서쪽 외곽에서 들려왔다.

"무슨 일이냐?"

사람들이 놀라 소리칠 때, 회의에 참석한 수뇌진 중 가장 젊은 사내가 서둘러 박살 난 문으로 달려갔다. 밖의 상황을 살피던 청년, 형문파의 소가주인 장백두의 입이 한순간 쩍 벌어지고 말았다.

거대한 불기둥이 솟구치는 가운데 금해가가 천천히 무너져 내리고 있었다.

2장.

강호초출(江湖初出)의 애송이

장예추는 눈을 가늘게 뜬 채 초일방을 내려다보았다.
사실 딱히 그에게 원한은 없었다.
어쨌거나 직접적으로 은원 관계를 맺은 적이 없었으니까.

강호초출(江湖初出)의 애송이

1. 호승심(好勝心)

콰콰쾅!

천지가 무너질 것만 같은 굉음은 금해가 북쪽 외곽 지역에서 발생했다. 좌우 양쪽에 있는 건물이 거대한 불기둥에 휩싸인 채 무너지고 있었다.

어찌 보면 장엄하기까지 한 광경이었다.

우르르!

거대한 삼 층 누각과 전각의 한쪽 기둥이 폭파되면서 불이 붙더니 천천히 한쪽으로 기우는가 싶더니, 하중을 지탱하지 못한 상부부터 무너져 내렸다.

폭발과 함께 치솟은 불기둥은 삽시간에 밤하늘을 가득

메웠다. 거대한 화염은 붉은 혀를 날름거리며 먹잇감을 찾아 사방으로 퍼졌다.

몇몇 사람들이 비명을 지르며 달아났지만, 대부분의 사람들은 큰 동요 없이 빠르게 대처를 시작했다.

이런 돌발적인 상황에 대해서도 미리 대비하여 연습해 둔 모양인지, 사람들은 빠른 속도로 정원의 인공 연못과 우물에서 물을 길어 불길을 잡으려고 노력했다.

"두 채의 전각이 붕괴되고 큰불이 났습니다."

대청 문을 통해 밖의 상황을 살피던 장백두가 초일방에게 보고했다. 초일방의 새하얀 눈썹이 파르르 떨렸다. 분노의 불길이 그 인자한 얼굴 가득 피어올랐다.

"네놈 혼자 온 게 아닌 게구나!"

수뇌진 중 한 명이 크게 노하여 소리쳤다. 장예추는 싱긋 웃으며 대꾸했다.

"원래 흉신(凶神)은 혼자 돌아다니지 않는 법이니까. 왜 나쁜 일은 한꺼번에 들이닥친다는 말도 있지 않은가?"

"이놈!"

화를 참지 못한 초로의 사내가 장예추를 향해 쌍장을 휘둘렀다. 가공할 기세의 장력이 폭포수처럼 뿜어졌다.

장예추는 들고 있던 의자 다리를 가볍게 휘둘렀고, 기세 좋게 파고들던 장력은 안개 흩어지듯 자취를 감췄다.

"헉!"

쌍장을 휘둘렀던 노인이 깜짝 놀라 숨을 들이마셨다.

이 초로의 노인은 금해가에서 법을 수호하고 상벌(賞罰)을 관장하는 형법당주(刑法堂主)의 직책을 맡고 있었으며, 금해가의 오랜 가신이기도 했다.

금해가의 가신은 크게 세 부류로 나뉘는데 양준구(梁俊九)와 같이 상인의 길을 걷는 무리가 하나였고, 이 형법당주처럼 금해가 내외의 업무를 맡아 처리하는 무리가 하나였으며, 초씨 혈족들의 안전과 호위를 맡은 무리가 하나였다.

물론 그중에서 가장 고강한 무위를 지닌 건 호위가신(護衛家臣)들이기는 했지만, 형법당주 또한 결코 만만치 않은 무위의 소유자였다.

그랬기에 지금 서른 살도 채 되어 보이지 않는 젊은 녀석이 의자 다리 하나를 휘둘러 자신의 장력을 파훼한 게 도저히 믿기지 않았다.

"무슨 사술이더냐?"

형법당주는 크게 소리쳤다. 장예추는 비웃듯 말했다.

"실력만 미천한 줄 알았더니 보는 눈도 미천하구나."

형법당주의 안면 근육이 푸들푸들 떨렸다. 장예추는 주위를 둘러보며 말을 이었다.

"불이 났다는데 다들 이러고 있어도 되는지 모르겠네.

제때 불길을 잡지 않으면 금해가가 통째로 타 버릴 수도 있는데 말이지."

"네놈이 상관할 일이 아니다!"

또 다른 노인이 소리쳤다. 하지만 장예추의 말에 몇몇 무사들은 저도 모르게 밖의 상황을 살피기 위해 고개를 돌렸다.

바로 그 순간이었다. 장예추의 신형이 온데간데없이 사라진 것은.

"헉!"

장예추를 노려보던 사람들의 눈이 커졌다. 장예추는 그야말로 사술처럼, 연기처럼 그들의 눈앞에서 사라진 것이다.

수뇌진들이 당황하여 어찌할 바를 몰라 할 때, 초일방이 크게 고함치며 몸을 날렸다.

"하찮은 눈속임에 불과할 따름이다!"

초일방은 단번에 사람들의 머리 위를 뛰어넘어 대청 문 앞을 가로막았다. 장예추의 도발에 넘어가 대청 밖으로 시선을 돌린 무사들이 있던 자리였다.

신기루처럼 사라졌던 장예추가 바로 그 앞에 모습을 드러냈다. 사람들이 놀라 탄성을 내지르기도 전해 장예추가 칼을 빼 들고 초일방의 머리를 내리찍었다.

마치 초일방이 반드시 그 자리를 가로막을 거라고 예측

했던 것처럼 한 치의 망설임도 없는 호쾌한 일격이었다.

"위험합니다!"

지켜보고 있던 수뇌진들이 대경실색하여 소리쳤다.

초일방은 앞으로 한 걸음 내디디며 두 손을 정면으로 내뻗었다. 그의 장심에서 백룡(白龍)과 청룡(靑龍)의 강기가 울부짖으며 뻗어 나왔다. 그야말로 방어를 도외시한 강공의 수법이었다.

단숨에 초일방의 머리를 쪼개려던 장예추의 얼굴이 살짝 일그러졌다.

지금의 칼질로 초일방의 머리를 박살 낼 수는 있었다. 하지만 동시에 자신의 가슴도 박살 나고 심장이 갈기갈기 찢어진다. 그런 동귀어진은 외려 패배나 다름없었다. 절대 원하는 바가 아니었다.

장예추는 순간적으로 칼을 거둬들이며 다시 은형환무의 술법을 펼쳤다. 또다시 그의 신형이 온데간데없이 사라졌다.

수뇌진들은 재차 놀랐지만 초일방은 달랐다. 그는 좌측으로 두 걸음 움직이며 정문을 막는 동시에 크게 소리쳤다.

"내 칼을 가져오라!"

바로 그 순간, 초일방의 바로 앞에서 장예추의 신형이 모습을 드러냈다. 황급히 몸을 멈춰 세우고 뒤로 물러나는 장예추의 얼굴에 낭패의 빛이 희미하게 스며들었다.

초일방은 장예추의 얼굴을 똑바로 바라보며 입을 열었다.

"그게 무슨 사도(邪道)의 술법인지는 모르겠지만 내게는 전혀 통하지 않는다."

장예추가 피식 웃으며 말했다.

"겨우 이 정도 보법에 오대가문의 가주가 당했다면 내가 더 놀랐을 것이다."

듣고 있던 수뇌진들과 무사들의 얼굴이 수치심에 붉어졌다. 그들은 황급히 진을 치며 장예추를 에워쌌다.

"가주께서는 피하십시오!"

"놈은 우리가 맡겠습니다!"

그들은 눈을 부라리며 소리쳤다. 초일방은 고개를 저었다.

"괜한 피를 볼 필요는 없네. 나 혼자 충분하니까."

그때, 초일방의 분부를 받들어 이 층에 올라갔던 무사 하나가 칼 한 자루를 들고 황급히 내려왔다. 초일방은 그에게 칼을 건네받자마자 가볍게 허공을 향해 휘둘러 보았다.

우웅!

대도(大刀)처럼 크고 둔중하며 무거워 보이는 칼날에서 강렬하고 매서운 도명(刀鳴)이 서리서리 뻗어 나왔다.

"좋은 칼이로군."

장예추의 칭찬에 초일방은 어깨를 으쓱거렸다.

"내 사촌 동생이 쓰던 칼이네. 천격(天擊)이라는 이름이 붙어 있는 칼이지."

'천격패도 초악.'

장예추는 속으로 중얼거렸다.

취몽월영을 통해 들은 바 있는 절정 고수의 이름이었다.

금해가에서 낳은 사상 최고의 고수. 하지만 유령신마 갈천노와 싸우다가 목숨을 잃었다고 했던가.

초일방은 힐끗 장예추의 칼을 보며 입을 열었다.

"자네 칼도 썩 나쁜 것 같지는 않군그래."

장예추는 희미하게 웃었다.

'패왕신마도를 두고 나쁘지 않은 것 같다니.'

장예추의 칼은 공적십이마 중 한 명인 패왕신도(霸王神刀) 혁천강(赫天罡)의 유품, 패왕신마도(霸王神魔刀)였다.

천하십대명도(天下十大名刀) 중 하나이자, 과거 정사대전 당시 수많은 백도 고수들의 피를 흡혈하고 목숨을 빼앗은 칼.

장예추가 수년 동안 패왕신마도를 휘두르며 싸워 왔지만, 세상 사람들이 전혀 알아보지 못한 건 당연한 일이었다.

따로 도명(刀名)이 새겨진 것도 아니고, 거궐처럼 특이하게 생긴 것도 아니며, 무엇보다 패왕신마도를 접하고 살아남은 이가 극히 드물기 때문이었다.

장예추는 가볍게 패왕신마도를 휘둘렀다. 도신(刀身)에서 초일방의 천격처럼 우웅! 하는 소리가 일었다. 듣는 이의 가슴을 두근거리게 만드는 묘한 위엄이 있었다.

"흠, 좋은 소리다. 내 천격과 비슷할 정도의."

초일방은 눈을 가느스름하게 뜨며 말을 이었다.

"하지만 아무리 칼이 좋아도 주인의 실력이 칼을 따라가지 못한다면 아무 소용이 없는 법이지."

"확인해 보든가."

장예추는 한 걸음 앞으로 내디디며 칼을 정중앙에 세웠다. 일순 장예추의 전신이 칼에 가려져 자취를 감췄다. 말 그대로 칼 한 자루가 허공에 떠 있는 듯한 광경이었다.

"일검장신(一劍藏身)?"

초일방의 뒤쪽에서 정면으로 장예추를 노려보고 있던 누군가가 놀라 소리쳤다. 수뇌진의 다른 노인들도 입을 쩍 벌리며 제 눈을 의심했다.

세상에, 서른도 되지 않아 보이는 청년이 일검장신의 경지를 보여 주다니!

하지만 초일방은 고개를 저었다.

'그깟 일검장신이 아니다.'

검 뒤에 몸을 숨긴다는 게 일검장신의 뜻이라면 지금 장예추가 펼치는 경지는 그보다 두어 수 위에 있는 신검합일(身劍合一)이라 할 수 있었다.

말 그대로 검과 몸이 하나가 되어 물아일체의 지경에 오른 자만이 펼칠 수 있다는 지고무상(至高無上)한 수법.

'십여 년 전의 나였더라면 일패도지(一敗塗地)했겠지. 하지만 지금은 다르다네, 청년.'

초일방은 문득 저도 모르게 호승심이 끓어오른다는 사실에 살짝 놀라고 말았다. 그저 장사꾼의 피만 흐르는 줄 알았더니 아무래도 그게 아닌 모양이었다.

호적수를 만난 것에 대한 기대감과 강자를 만나서 자신의 실력을 발휘할 수 있게 되었다는 즐거움과 반드시 내가 이길 거라는 자신감이 그의 호승심을 한껏 고양시키고 있었다.

"덤비게, 청년!"

초일방이 호기롭게 외쳤다.

2. 정면 승부

장예추는 망설이지 않고 칼을 휘둘렀다.

패왕단섬폭(霸王斷閃爆)의 단(斷)이 허공을 가르는 순간, 천둥과 같은 소리가 패왕신마도에서 뿜어져 나왔다. 폭발적인 위력이 실린 가공할 기세의 일격이 초일방의 허리를 후려쳤다.

초일방은 전력을 다해 천격을 휘둘러 막았다. 한순간 천격과 패왕신마도가 정면에서 부딪쳤다.

쨍! 하는 소리가 사람들의 고막을 뒤흔들었다. 칼날과 칼날이 부딪치며 불똥이 튀었다. 가공할 힘과 기세가 맞부딪치면서 회오리가 일었다.

무공이 약한 무사들은 그 격렬한 후폭풍을 견뎌 내지 못하고 주르르 뒤로 물러나야 했다.

장예추와 초일방의 합(合)은 게서 끝이 아니었다. 아니, 비로소 시작이었다. 두 사람은 두 손으로 칼을 쥐고 막강한 내력을 실은 채 연신 후려치고 베고 찌르고 막았다.

칼날과 칼날이 부딪치는 소리가 소름이 끼치도록 쉬지 않고 울려 퍼졌다. 힘과 힘이 정면에서 부딪치며 거친 파열음을 냈다.

'내공이라면 내가 우위일 것이다!'

초일방은 이를 악문 채 계속해서 전력을 다해 천격을 내질렀다. 천격파황도법의 가공할 절초들이 쉴 새 없이 이어지며 허공을 산산이 베었다.

초일방이 십여 년 동안 각고의 노력을 한 결과를 보여주듯 초식과 초식의 이어짐은 막힘이 없고 끊임이 없어서 마치 이십사초식(二十四招式)이 단 하나의 초식처럼 생각될 정도로 빠르고 강렬했다.

초식 하나하나마다 부딪치는 모든 것을 부서뜨리고 박살 낼 것처럼 가공할 위력이 실려 있었다.

한동안 힘과 힘으로 맞부딪치던 장예추는 힘이 다했는지, 아니면 초일방의 괴력에 눌렸는지 작전을 바꿨다.

그는 어느 순간부터 발을 놀려 거리를 재거나 사각으로 이동하기 시작했다. 칼과 칼이 맞부딪치는 것보다는 초일방의 칼이 비껴가도록 흘려보내는 데 집중했다.

"취몽보(醉夢步)? 설마 겨우 취몽월영의 제자였더냐?"

장예추의 발놀림을 알아차린 초일방이 비웃었다. 장예추는 제왕검해의 수법으로 초일방의 천력패왕도법을 파훼하며 대꾸했다.

"겨우 금해가주 따위가 함부로 입에 올릴 분이 아니시다."

그 말에 금해가 사람들이 일제히 분노했다.

"어디서 뚫린 입이라고 함부로 말하느냐!"

"두 번 다시 헛소리하지 못하도록 그 입을 박살 내 주마!"

수뇌진들은 당장이라도 장예추를 찢어 죽일 듯한 눈빛으로 노려보며 뛰어들 채비를 갖췄다.

하지만 그들이 덤벼들기에는 두 사람이 펼치는 공수(攻守)의 조화가 너무나 절묘했다.

초일방이 휘두르는 칼의 칼날을 밀어내면서 장예추가 역습을 취하는 순간 초일방은 다시 그 칼을 떨쳐 내며 가공할 기세로 후려치고, 장예추는 취몽보의 보법을 밟아 우측으로 선회하며 옆구리를 베어 가는 식으로 두 사람의 공방은 끊이지 않고 이어졌다.

넋을 잃고 두 사람의 싸움을 지켜보던 수뇌진의 노인들은 조금 전의 분노는 까마득하게 잊은 채 저도 모르게 중얼거렸다.

"가주께서 언제 저런 무위를……."

"어쩌면 과거 초악보다 훨씬 강해지셨는지도 모르겠다."

사실이었다. 지금의 초일방은 유령신마 갈천노에게 목숨을 잃을 당시의 초악보다 훨씬 더 강해져 있었다.

막대한 자금력을 바탕으로 복용한 환단과 내단들은 초일방의 내공을 이 갑자 가까이 끌어올렸으며, 수많은 절정의 고수들은 초일방이 완벽하게 초씨 일가의 무공을 시전할 수 있도록 길을 안내해 주었다.

그렇게 새롭게 탄생한 초일방의 기세는 갈수록 격화되었다. 그가 천격을 휘두르고 찌르고 베어 가는 속도가 점점 빨라지면서, 이제 어느 초식이 선(先)이고 어느 초식이 후(後)에 펼쳐졌는지 알 수가 없게 되었다.

수십 가닥의 서로 다른 파공성이 마침내 하나로 뭉쳐지더니 믿을 수 없게도, 처음 내리쳤던 칼보다 뒤에 베어가는 칼이 먼저 장예추를 공격하고 있었다.

'이거야 후발제선(後發制先)도 아니고.'

장예추는 초일방의 무위에 살짝 놀라면서도 집중을 잃지 않았다. 그는 당황하지 않고 제왕검해의 비술(祕術)을 펼쳐서 초일방의 파상공세를 적절히 막아 내며 역습을 가했다.

순식간에 백여 합의 공방이 이뤄졌다. 초일방의 어깨가 들썩이고 호흡이 달라졌다.

'역시.'

장예추의 눈빛이 빛났다.

금해가주 초일방이 실전을 겪었다는 소문은 지금껏 들어 보지 못했다. 즉, 그가 쌓아 올린 무위에 비해 턱없이 실전 경험이 부족하다는 의미였다.

물론 초빙한 고수들과 대련이나 비무는 수없이 했겠지만, 그건 어디까지나 결국 대련이고 비무에 지나지 않았다.

목숨을 걸고 생사를 가르는 일전(一戰)의 경험이 없는 한, 초일방은 그저 강호초출(江湖初出)의 애송이와 다를 바가 없었다.

처음부터 전력을 다해 천격을 휘두르는 초일방이 마지

막의 마지막을 위해서 힘을 아껴 두고 분배하는 방법을 알 리가 없었다. 강약(强弱)을 섞어 가며 호흡을 가라앉히고 체력과 내공을 안배하는 방법도 당연히 모를 터였다.

무엇보다 지금처럼 생사를 오가는 치열한 고수의 싸움에서 한 끗 차이가 얼마나 중요한지, 조금의 빈틈이 얼마나 큰 파장을 불러일으키는지는 경험해 보지 않고서는 절대 모를 일이었다.

"도망치는 건 꼭 원숭이 같구나! 마치 제 사부처럼 말이다!"

초일방은 나름대로 격장지계를 펼쳐 장예추를 흥분하게 만들고자 했다.

그러나 장예추는 이미 백전노장이었다. 처음으로 목숨을 건 싸움을 하는 초일방과는 쌓아 온 경험의 수가 달랐다. 차원이 달랐다. 그는 상대방을 초조하게 만들고 지치게 하고 허점을 드러내게 만들 줄 알았다.

바로 지금처럼.

끊임없이 이어지던 파상 공세가 한순간 움찔거리며 멈췄다. 화수분처럼 솟구치던 내공이 마침내 그 바닥을 드러낸 까닭이었다.

내공은 샘과 같았다. 고여 있는 물을 퍼내면 다시 찰 때까지 기다려야 했다.

내공의 고수가 될수록 내공이 차는 속도가 퍼내는 속도

를 따라잡게 되지만, 그래도 바가지가 아닌 항아리로 무한정 마구잡이로 퍼내다 보면 결국 바닥이 드러날 수밖에 없었다.

장예추는 초일방이 호흡을 가다듬고 내력을 다시 끌어올리기 위해 칼을 거둬들이는 그 찰나의 틈을 놓치지 않았다.

그의 패왕신마도가 거대한 해일과도 같은 기세를 일으키며 초일방의 정수리에서 가랑이까지 일직선으로 내리그었다. 패왕단섬폭의 폭(爆)이 시전된 것이다.

수천 근의 파괴력이었다. 휘몰아치는 파공성에 초일방의 머리카락이 산발이 되고 숨조차 쉴 수 없을 지경이었다.

그그긍!

초일방은 이를 악물며 천격으로 대청 마룻바닥을 긁으면서 그대로 허공을 향해 크게 휘감아 올렸다.

콰앙!

지축을 뒤흔드는 듯한 굉음이 벼락같은 칼질과 함께 터졌다.

"패도강림!"

뒤늦게 초일방의 입에서 고함이 터져 나왔다. 그를 향해 덮쳐들던 가공할 위력의 바람이 사방으로 흩어졌다.

그 기파(氣波)에 부딪친 무사들이 대청 벽까지 날아갔

다. 수뇌부의 노인들도 감히 항거하지 못하고 대여섯 걸음이나 물러나야만 했다.

마지막 전력을 다해 휘두른 패도강림의 일격은 정확하게 장예추의 패왕신마도와 맞부딪쳤다.

콰아앙!

수만 금의 화약이 폭발하는 굉음이 울렸다. 대청 마룻바닥이 쩌억 갈라지고 기둥에 금이 갔다. 그렇게 두 개의 절대적인 힘이 한데 부딪치는 순간, 초일방과 장예추는 일찍이 경험하지 못했던 충격에 동시에 나가떨어졌다.

바로 그때였다.

뒤로 날아가는 장예추가 두 손을 앞으로 내밀었다. 일순 그의 양쪽 손목에서 황금빛 광채와 달빛 광채가 피어오르는가 싶더니, 어느새 그것들은 두 개의 환(環)이 되어 초일방에게로 폭사했다.

바로 불의 정화 염교(焰皦)와 물의 정화 빙월(氷月)의 고리였다.

장예추처럼 큰 충격을 입고 뒤로 날아가던 초일방에게는 그 두 개의 환을 막을 여력이 없었다. 이미 가진 모든 내력을 조금 전의 일격에 다 쏟아부었기 때문이었다.

"안 돼!"

"가주!"

금해가 사람들이 새파랗게 질린 얼굴로 외치며 장예추

에게 달려들고, 초일방 앞을 가로막았다.

하지만 그들보다 염교환과 빙월환이 더욱더 빨랐다. 그 두 개의 고리는 단숨에 허공을 격하고 초일방의 가슴을 파고들었다.

그때였다.

뒤로 날아가던 초일방 앞으로 그림자처럼 불쑥 튀어나온 검은 무복의 사내들이 두 개의 환을 가로막았다. 동시에 그들의 입에서 짧고 격한 신음이 흘러나왔다.

"컥!"

"음."

또 다른 그림자들이 대청 밖으로 날아가던 초일방을 뒤따라잡더니 이내 조심스레 부축하여 일으켜 세웠다.

"쿨럭."

초일방은 한 모금의 피를 토했다. 수뇌진들이 우르르 몰려들자 초일방은 손을 내저으며 말했다.

"됐다."

사람들은 머뭇거리다가 다시 장예추를 쏘아보았다.

기둥 뒤편까지 날아가던 장예추는 허공에서 한 바퀴 몸을 회전하여 자세를 고쳐 잡고 마룻바닥에 내려섰다.

그는 모든 사람들의 시선이 초일방에게로 쏠리는 동안, 은밀하게 품속의 옷 보자기를 꺼내 기둥 뒤쪽에 내려놓고 심지에 불을 붙였다. 그러고는 태연한 표정을 지은 채 기둥 앞으로 걸어 나오며 입을 열었다.

"좋은 수하들을 두었군. 주군을 위해 자신의 목숨을 희생하다니 말이지."

초일방은 검은 무복의 사내들을 물리치고 걸었다. 아직도 충격의 여파가 가시지 않은 듯 걸음걸이는 불안해 보였지만, 그는 꼿꼿하게 허리를 편 채 대청 안으로 걸어 들어왔다.

초일방은 대청 입구에 쓰러진 두 명의 사내들을 내려다보았다. 그를 암중에서 호위하는 무사들이었다. 언제나 인자하던 초일방의 얼굴이 점점 흉악하게 일그러졌다.

"네놈은 반드시 죽여 주마."

"글쎄."

장예추는 어깨를 으쓱거렸다.

"앞으로 한 십 년은 더 수련해야 가능할 것 같은데. 뭐, 그때까지 살아 있다면 말이지."

"노옴!"

주변에 있던 노인들이 일제히 덤벼들었다. 이번에는 초일방도 그들을 말리지 않았다.

노인들 대부분은 금해가의 중책을 맡고 있는 자들로, 나름대로 무위가 뛰어난 일류 고수들이었다. 하지만 그들은 장예추를 당해 내기에는 너무나도 역부족이었다.

장예추는 은형환무의 수법으로 그들의 이목을 교란하

고 배후로 돌아가 패왕신마도를 휘둘렀다.

노인들은 순식간에 모습을 감추고 동서남북 번쩍이며 나타나는 장예추의 예측할 수 없는 보법에 놀라 당황하며 황급히 몸을 피했다.

그러나 부상자는 속출했고 장예추는 어느새 초일방의 앞까지 다다랐다.

검은 무복의 사내들이 일제히 초일방의 앞을 가로막았다. 장예추는 칼을 고쳐 쥐며 계속해서 수를 헤아렸다.

'열하나, 열둘…….'

스물이었다. 심지에 붙인 불이 타들어 가 화약 더미를 폭발시킬 때까지의 시간은.

'열셋, 열넷…….'

장예추는 크게 호흡을 들이마신 후 전력을 다해 패왕신마도를 휘둘렀다. 단번에 주변 모든 것을 압살할 것 같은 강기(罡氣)가 반원을 그리며 펼쳐졌다.

검은 무복의 사내들은 일제히 무기를 휘둘러 그 강기에 맞섰다.

챙! 챙!

요란한 소리와 함께 사내들의 무기가 박살 났다. 강기와 함께 휘몰아친 압력이 사내들을 뒷걸음치게 했다.

그러나 사내들은 도망치거나 피하지 않았다. 그들의 뒤에는 초일방이 있었으니까.

사내들은 죽음을 각오하고 끝까지 장예추의 강기를 버티며 막고자 했다.

바로 그때였다.

"가주!"

웅후한 외침과 더불어 한 무리의 사람들이 대청으로 뛰어들었다.

3. 소 잃은 외양간

일순 초일방의 눈빛이 반짝였다. 그는 뒤를 돌아보며 환한 표정으로 소리쳤다.

"어서들 오시게!"

바람처럼, 번개처럼 대청으로 날아든 이들의 수는 모두 열셋. 그들이야말로 금해가 가신 중에서 가장 강한 무위를 지닌 자들로, 이른바 천격(天擊)의 가신이라 불리는 인물들이었다.

지난날 저 유령신마 갈천노조차 초악에다가 천격의 가신 서너 명이 합세하면 절대 이길 수 없다고 생각했을 정도였으며, 자신들이 약해서 초악을 지키지 못했다고 생각하여 지난 십여 년 동안 더욱 각고의 수련을 거듭하여 당시보다 두 배 이상의 무위를 지니게 된 절정의 고수들이기도 했다.

'이런.'

장예추는 가볍게 눈살을 찌푸렸다.

새로 등장한 이들이 누구인지는 모르나 수뇌부의 노인들보다 몇 배는 강한 고수라는 건 직감적으로 알 수 있었다. 어쩌면 금해가의 숙객 중 최고수라고 알려진 십팔숙객에 버금가는 무위를 지녔을지도 몰랐다.

'열여섯, 열일곱…….'

"이자는 우리가 맡을 터이니 가주께서는 몸을 보중하시기 바랍니다."

천격의 가신들은 정중하고 진지한 어조로 말했다. 초일방은 잠시 망설이다가 고개를 끄덕였다.

"잘 부탁하……."

바로 그 순간이었다.

장예추가 벼락처럼 앞으로 몸을 날렸다. 검은 무복의 사내들과 천격의 가신들이 동시에 그를 막으려 했다.

콰아아앙!

격렬한 폭음이 대청 기둥 아래에서 터져 나왔다. 수백 근의 화약이 한꺼번에 터지며 기둥이 무너지고 이 층이 우르르르 내려앉는 가운데 불길이 치솟았다.

금세 먼지가 사위를 뒤덮었다. 나무 조각과 흙들이 사방으로 튀었다. 갑작스레 벌어진 사변(事變)에 놀라 당황하여 미처 반응하지 못한 무사들이 그 아래 깔렸다. 비명과 고함이 난무했다.

장예추는 아비규환(阿鼻叫喚)과 같은 소란을 틈타 은형환무의 술법을 펼쳤다.

순간적으로 신형을 감추고 전혀 다른 곳으로 이동하는 보법! 천격의 가신들이 그 보법을 꿰뚫어서 장예추의 움직임을 알아차리기에는 전각이 너무나도 빠르게 무너지고 있었다.

"가주를 안전한 곳으로 피신시키는 게 우선이다!"

천격의 가신들은 곧바로 몸을 날려 초일방을 에워싸고는 그대로 대청 밖으로 피신했다. 뒤따라 수뇌부들과 검은 무복의 사내들, 그리고 일반 무사들이 허겁지겁 대청을 뛰쳐나왔다.

이 층의 마루가 내려앉으면서 균형을 잃은 전각은 천천히 한쪽으로 기울기 시작했다. 불길은 더욱더 거세게 피어올랐다.

우르르!

천지에 균열이 가는 듯한 소음이 일면서 전각이 크게 흔들렸다.

"모두 피하라! 곧 무너져 내린다!"

미리 피신한 자들은 더욱 멀리 도망치면서 소리쳤다. 뒤늦게 대청을 빠져나오다가 계속해서 무너져 내리는 기둥과 위층의 마루에 깔린 자들의 비명이 밤하늘을 갈기갈기 찢었다.

쿠쿠쿠쿵!

요란한 소리와 함께 거대한 전각은 마치 무릎을 꿇고 앞으로 꼬꾸라지는 것처럼 그렇게 무너졌다. 이 층이 무너져 내리고 그 여파로 삼 층이, 사 층이 차례로 무너지고 있었다.

붕괴하는 전각에서 뿜어져 나오는 흙먼지가 뭉게구름처럼 주변을 가득 메웠다. 전각이 무너지면서 잡힌 듯한 불길은 시간 차이를 두고 다시 활활 타오르며 순식간에 십여 장 높이까지 치솟았다.

"불을 꺼라!"

"놈을 찾아라!"

"가주를 안전한 곳으로 모셔라!"

제각각의 명령과 지시들이 사방에서 난무했다.

하지만 불을 끄기에는 사람이 부족했다. 금해가 대부분의 사람들은 이미 불타고 있는 누각과 전각 쪽으로 동원되어 있었다.

장예추를 찾을 수도 없었다. 장예추는 느닷없이 일어난 붕괴와 화재를 틈타 대청을 벗어났고, 금해가 사람들이 혼돈과 혼란에 가득 차 있는 사이 이미 그 구역을 벗어나 북쪽으로 내달리고 있었다.

'아쉽지만 어쩔 수 없지.'

장예추는 또 다른 삼 층 전각 지붕 위로 훌쩍 뛰어오르며 아쉬움을 달랬다.

검은 무복의 사내들만 아니었다면 초일방은 이미 죽은 목숨이었다. 설령 검은 무복의 사내들이 있더라도 천격의 가신들이 나타나지 않았더라면 초일방은 죽일 수 있었다.

그러나 천격의 가신들이 나타난 이상, 장예추는 초일방을 해치울 수 없다고 판단했다. 그들 열세 명의 무위는 초일방과 크게 차이가 나지 않았다. 한두 명이라면 몰라도 열세 명과 싸우는 건 확실히 무리였다.

장예추는 지붕 꼭대기에 오른 채 뒤를 돌아보았다. 그가 빠져나온 전각은 이제 완전히 주저앉았다. 불길은 거대한 화마가 되어 바람을 타고 다른 구역으로 넘실거렸다.

다들 분주히 움직이는 가운데 몇몇 사람들은 그 처참한 광경을 눈앞에 둔 채 망연자실한 표정을 지었다. 그리고 망연자실한 표정을 지은 사람들 한가운데 초일방이 있었다.

장예추는 눈을 가늘게 뜬 채 초일방을 내려다보았다.

사실 딱히 그에게 원한은 없었다. 어쨌거나 직접적으로 은원 관계를 맺은 적이 없었으니까.

화평장을 노리고 성도부까지 침공했던 철목가와 무적가는 차치하더라도 무엇보다 건곤가와는 궤가 달랐다. 굳이 초일방을 반드시 죽여야 할 정도의 감정은 없었다.

어쩌면 그 절실한 감정이 없었기 때문에 장예추가 초일방을 확실하게 죽이지 못했을지도 모른다. 만약 눈앞의 자가 초일방이 아니라 건곤가주 천예무였더라면, 장예추의 빙월환과 염교환은 보다 빠르고 날카롭게 상대의 목과 가슴을 갈기갈기 찢어발겼을 것이다.

'어쨌든 목적은 달성했으니까.'

장예추는 고개를 돌려 금해가의 북쪽 외곽 지역을 둘러보았다. 두 채의 거대한 전각이 뼈만 남은 채 활활 타오르고 있었다.

'형님들은 무사하시겠지?'

당연한 일이리라.

사실 지금의 장예추나 담우천, 강만리의 무위는 이미 일반 무인들로는 도저히 막을 수 없는 경지에 올라 있었다.

최소한 일류급을 벗어난 절정의 고수들이, 그것도 한둘이 아닌 여러 명이 있어야만 비로소 그들의 앞길을 막아설 수가 있었다.

물론 금해가에는 절정을 넘어 초절정의 고수들도 존재했다. 이른바 구파일방의 장문인에 버금가는 무위를 지녔다는 문경급 고수들이 적지 않았다.

하지만 그들 대부분 금해가를 떠나, 아무도 없는 백귀도를 포위하고 있는 중이었다. 백팔숙객도, 금해가의 무신(武臣)들도 모두 그곳에 있었다.

비선주 천소유의 경고를 받은 천격의 가신들이 서둘러 금해가로 복귀하기는 했지만 이미 때는 늦었다. 그나마 천만다행인 것은 초일방의 목숨을 구할 수 있었다는 점이리라.

그 초일방은 지금 목이 터져라 악을 쓰고 있었다.

"누가 보이지 않는지 확인하라!"

천격의 가신들과 살아남은 수뇌부들은 서로의 얼굴을 확인하고 미처 빠져나오지 못한 자들이 누구인지 조사하기 시작했다.

보고는 속속들이 들어왔다.

"형법당주의 모습이 보이지 않습니다!"

"장 공자도 안 보이십니다!"

장백두의 실종 보고를 듣는 순간 초일방의 눈빛이 파르르 떨렸다.

"설마 빠져나오지 못한 건……."

초일방은 이를 악물었다. 머리가 핑 돌았다. 그 자리에 주저앉고만 싶었다.

그러나 그는 끝까지 버티고 우뚝 서 있었다.

여전히 기혈은 진탕하고 갈비뼈라도 부러진 듯 통증은 격화되고 있었지만, 그는 어디까지나 금해가의 가주였다. 이 난리를 진정시키고 가라앉힐 책임이 있는 것이다.

"불길을 잡아라! 사람을 관아로 보내 멸화군(滅火軍)을 출동케 하라! 의용금화대(義勇禁火隊)도 동원하라!"

초일방은 빠르게 지시를 날렸다.

"백귀도의 포위망을 풀게 하고 모든 병력을 이곳으로 돌려라! 늦기 전에 악양부 전역을 봉쇄하라!"

이미 소를 잃은 외양간이었지만 그래도 고치는 걸 포기할 수는 없는 노릇이었다.

초일방은 적재적소에 사람을 보내어 빠르게 상황을 제어하고자 했다. 그의 지시를 받은 자들도 그 어느 때보다 부지런히 움직였다.

그렇게 쉴 새 없이 지시를 내리던 초일방은 마침내 기력이 다해 비틀거렸다. 바로 곁에 서 있던 천격의 가신들이 얼른 그를 부축했다.

"괜찮네, 나는."

초일방은 억지로 기력을 짜내어 버티고 섰다.

문득 그의 시선이 북쪽 삼 층 전각으로 향했다. 그곳에서 누군가 자신을 내려다보고 있는 듯한 기분이 들었던 까닭이었다.

그러나 워낙 거리가 있는 데다가 붉은 화마가 하늘 높

이 치솟았고 흙먼지와 연기가 밤하늘을 뒤덮고 있는 까닭에 진짜 그곳에 사람이 있는지는 확인할 수가 없었다.

"놈은 우리가 뒤쫓겠습니다."

천격의 가신들 중 몇 명이 앞으로 나서며 말했다. 그들의 얼굴에는 장예추 정도는 충분히 뒤쫓을 수 있다는 자신감이 역력했다.

"아니, 그만두게."

초일방이 고개를 저으며 말했다.

"지금 급선무는 놈이 아니라 화재를 진압하고 사람들을 구하는 일일세."

"존명."

가신들은 서로 의견을 나눈 후 패를 갈라, 한 무리는 초일방을 호위하고 다른 무리는 화재를 진압하고 사람들을 구하기 위해 움직였다.

'게다가 복수할 상대는 그 녀석뿐만이 아니지.'

초일방은 입술을 깨물며 생각했다.

'다른 두 채의 전각을 파괴한 자들, 그놈들을 잊어서는 안 되니까.'

초일방은 이미 그들의 신분과 정체에 대해서 어느 정도 감을 잡고 있었다.

'두고 보자, 무림오적.'

초일방은 북쪽 삼 층 전각에서 시선을 때지 않은 채 입술을 질겅질겅 씹으며 마음 깊이 맹세했다.

'내 모든 걸 동원하여 반드시 네놈들을 찾아 죽일 것이다. 그러니 도주할 수 있을 때 최대한 멀리 도망치거라.'

물론 그 삼 층 전각 지붕 꼭대기에는 아무도 없었다. 장예추는 이미 그곳을 떠나 지붕과 처마를 밟으며 밤하늘을 날아 금해가를 빠져나가고 있었다.

'형님들은 먼저 빠져나가셨을 테니 최대한 빨리 달려서 뒤를 따라잡아야겠다.'

금해가를 벗어나 한적한 거리에 당도한 장예추는 걸음을 멈추고 주위를 살피며 그렇게 생각했다.

잠시 호흡을 가다듬던 장예추의 눈썹이 꿈틀거렸다. 그는 복부를 어루만졌다. 초일방에 당한 내상의 통증이었다.

가볍다고는 하지만 내상은 내상이었다. 한시라도 빨리 안전한 곳을 찾아 운기조식을 하며 치료해야 하지만 지금은 그럴 시간이 없었다. 먼저 강만리들과 만나야 했다.

장예추는 길게 호흡을 가지면서 통증을 어느 정도 가라앉힌 다음 다시 전력을 다해 밤거리를 질주했다.

3장.

가로막는 자들

"늙은이들에게 미래를 맡길 수는 없소.
언제까지 저 늙은이들이 해 먹는 걸 지켜봐야 하겠소?
이제 우리 젊은이들이 움직여야 하오."

가로막는 자들

1. 제안하겠소

여전히 밤은 어두웠지만 금해가의 불길 때문이었을까. 어둠 속에 잠겨 있는 집들이 하나둘씩 불을 밝히고 있었다.

몇몇 사람들은 속옷만 입은 채 거리로 나와 불구경을 하기도 했고, 또 어떤 자들은 불길이 바람을 타고 제집 쪽으로 번지지는 않을까 발을 동동 구르기도 했다.

장예추는 그런 사람들 사이를 비집고 헤쳐서 빠르게 북문을 향해 달려갔다.

장예추가 바로 곁을 스치듯 지나치고 사라졌지만 행인들은 전혀 그의 존재를 알아차리지 못했다. 사람들은 그저 차가운 밤바람이 요란하게 부는구나 생각하며 옷깃을 여밀 따름이었다.

북문과 가까워질수록 거리의 행인은 보이지 않았고, 여전히 모든 것이 어둠 속에 잠겨져 있었다.

거칠 것 없이 질주하던 장예추의 발길이 한순간 우뚝 멈춰 섰다. 어둠 저편의 거리 끝자락, 바로 북문으로 이어지는 그 지점에 누군가 정체를 알 수 없는 수십 개의 기척이 길을 막고 서 있었다.

장예추의 낯빛이 굳어졌다.

'예까지 금해가의 포위망이 펼쳐져 있다니.'

어둠 속 저편을 응시하는 장예추의 얼굴이 심각해졌다.

확실하게 느껴지는 인기척만 하더라도 이십여 개였다. 거기에다가 조금 전 금해가 전각에서 마주쳤던 자들과 대등하거나 그보다 더 강한 무위를 지닌 자들도 여러 명이 있었다.

문제는 지금 장예추의 상황이었다.

초일방과의 마지막 일합(一合)에서 내상을 입은 상황에 저 수십 명의 고수들, 특히 절정에 이른 네다섯 명의 고수들과 맞서 싸우는 건 무리였다.

'도망치자.'

장예추가 좌우를 둘러보는 와중에, 어둠 저편에서 인기

척들이 점점 다가오고 있었다. 장예추는 그들의 기척을 살피다가 문득 고개를 갸웃거렸다.

'살기가 없는데?'

이상한 일이었다.

금해가의 고수들이라고 하기에는 확실히 적대적인 살기가 거의 흘러나오지 않았다. 어쩌면 적이 아닐지도 모른다는 생각에 장예추는 잠시 그들을 지켜보기로 마음먹었다.

이윽고 그들은 얼굴과 체형이 식별될 정도의 거리까지 다가와 걸음을 멈췄다. 장예추는 그들을 훑어보고는 꽤 놀란 표정으로 중얼거렸다.

"언제 이곳까지……."

어둠 저편에서 걸어 나온 무리 중 선두에 선 청년이 껄껄 웃으며 입을 열었다.

"하하하! 언제쯤 오실까 하고 한참을 기다리고 있었소이다."

장백두였다.

호탕하고 유쾌한 웃음소리. 굳이 제대로 얼굴을 확인하지 않아도 저 웃음소리만으로 그라는 사실을 알 수 있었다.

장백두는 다시 두어 걸음 걸어 나와 장예추의 얼굴을 확인하고는 두 손을 모으며 정중하게 인사했다.

"인사가 늦었소. 형문파의 장백두라고 하오. 이렇게 천하의 기협(奇俠)을 만나 뵙게 되어 영광이오."

장백두는 장예추가 선상에서 만났던 예의 그 모 대협이라고는 전혀 상상하지 않는 듯했다. 아니, 어쩌면 아예 개의치 않는 것인지도 몰랐다. 장예추가 모 대협이든 손 대협이든, 혹은 무림오적이든.

그는 웃는 낯으로 장예추를 바라보며 말을 이었다.

"보다 좋은 자리에서 좋은 술과 요리를 두고 귀한 분을 모셔야 하는데 이런 길거리에서 대화를 나누게 된 게 참으로 아쉽기 그지없소이다."

'역시…… 말이 너무 많구나.'

장예추는 그렇게 생각하며 천천히 입을 열었다.

"어찌 알고 이 길목을 가로막았지?"

"하하! 귀하께서 이 길로 올 걸 예측하고 기다렸다고 말하고는 싶지만, 그래도 솔직히 말씀드리자면 우연이외다."

장백두는 시원시원하게 대답했다.

"실은 내 가신들이 근처 객잔에 머물고 있었소이다."

아닌 게 아니라 장백두는 북문 근처에 있는 삼 층 객잔의 숙소를 통째로 빌려서 형문파의 원군, 형문오공과 이십여 중년 제자들을 묵도록 했다.

"조금 전 귀하께서 초 가주에게 압승을 거두려 할 때,

나는 대청을 빠져나와 서둘러 이곳으로 달려왔소이다. 금해가의 사람들로는 도저히 귀하를 막을 수 없다고 생각했기 때문에 말이외다."

장백두는 곧장 금해가를 빠져나와 이곳 북문 근처로 내달렸다. 그리고 잠들어 있던 형문오공들을 깨워 다시 금해가로 되돌아가려던 참이었다.

"그런데 놀랍게도 귀하께서 직접 우리를 만나러 이곳으로 달려오시더구려. 덕분에 다행히 우리가 금해가 사람들과 낯을 붉힐 필요가 사라졌소이다."

장백두의 말에 장예추는 고개를 갸웃거렸다.

"왜 금해가 사람들과 낯을 붉히지?"

"하하! 당연하지 않겠소이까? 금해가 사람들도 귀하를 잡으려고 할 텐데, 하마터면 우리에게 선수를 빼앗길 뻔했으니 말이오."

"내가 초일방과 싸우는 모습을 보고도 그런 소리를 한다는 건가?"

"물론 귀하가 나보다 강하다는 건 인정하겠소. 하지만 내 뒤에는 역시 나보다 강한 본 문의 어르신들이 계시다오."

"알고 있다. 하지만 그들이 초일방보다 강하다고는 할 수 없을 것 같은데."

"물론 개개인의 무위라면 그럴 것이오. 그러나 이쪽은

무려 다섯 분이 계시오. 또한 이분들은 초 가주와 달리 실전에 대한 경험과 연륜이 상당들 하시다오."

순간 장예추의 눈가에 이채의 빛이 흐르고 지나갔다.

놀랍게도 장백두 역시 초일방이 장예추에게 패한 이유에 대해서 정확하게 알고 있었다. 초일방이 장예추에 버금가는 실전 경험을 겪었더라면 절대 지금과 같은 결과가 나오지 않았을 거라는 사실을.

"하하! 너무 걱정하지 마시오. 귀하와 싸우려 온 건 아니니까 말이오."

장백두는 유쾌하게 웃으며 말했다.

"실은 제안할 것이 있어서 귀하를 찾았소이다."

"제안?"

"그렇소이다. 귀하에게 전혀 해가 되지 않을 제안이오."

"들어는 보지."

장예추의 말에 문득 장백두의 표정과 기세가 달라졌다. 유들유들하게 웃던 그의 얼굴에는 눈부실 정도로 장엄하고 굴강(屈強)한 빛이 피어올랐다. 동시에 후광처럼 위풍당당한 위엄이 그의 전신에서 뿜어져 나왔다. 마치 절대자의 기세를 보는 듯했다.

"제안하겠소."

장백두는 똑바로 장예추를 바라보며 천천히 입을 열었다.

"내 휘하에 들어와 주시오."

'음?'

일순 장예추의 눈이 휘둥그레졌다. 너무나도 뜻밖의, 의외의 제안이었던 게다.

장백두는 표정 하나 변하지 않은 채 계속해서 말을 이어 나갔다.

"그렇다고 내 수하가 되어 달라는 건 아니오. 그저 귀하는 귀하의 뜻과 의지에 따라 지금처럼 행동하면 되오. 나는 귀하가 목적을 이룰 때까지 뒤에서 아낌없이 후원하고 도와줄 것이오."

그렇게 말한 장백두는 문득 씨익 웃으며 말을 덧붙였다.

"아, 그렇다고 동맹이나 연합이라고 생각하지는 말아 주시오. 어디까지나 귀하는 내가 천하를 웅패(雄覇)하는 걸 도와주고 보좌해 주어야 하니 말이오."

'허어.'

절로 탄식이 흘러나왔다.

'천하를 웅패하겠다?'

그리고 자신이 천하에 군림하는 데 있어서 장예추를 졸(卒)로 쓰겠다는 것이 장백두의 솔직한 제안이었다.

장예추는 어이가 없다는 눈빛으로 장백두를 바라보다가 이내 고개를 흔들며 중얼거렸다.

"이제는 개나 소나 다 천하를 웅패하겠다고 하는구나."

그 비웃음의 말을 들었음에도 불구하고 장백두는 표정 하나 변하지 않은 채 말을 받았다.

"천하를 웅패할 수만 있다면 개가 되어도 좋고, 소가 되어도 좋소. 천하에 군림하는 개나 소는 역사상 유일무이할 테니까 말이오."

"이런."

장예추는 장백두의 저 광오한 자존심과 전혀 흔들리지 않는 평정심을 인정할 수밖에 없었다. 어쩌면 저런 자들이야말로 진짜 천하의 주인이 될 재목일지도 모른다는 생각이 언뜻 그의 뇌리를 스치고 지나갔다.

하지만 그렇다고 해서 장백두의 저 말도 안 되는 제안을 받아 줄 수는 없는 노릇이었다.

장예추가 물었다.

"내가 누구인지, 내가 원하는 게 무엇인지 알고서 그런 말을 하는 건가?"

"모르오."

장백두는 고개를 저었다. 하지만 이내 고개를 끄덕이며 말을 이었다.

"아니, 알지도 모르오. 그러나 그게 무슨 소용이 있겠소? 귀하가 그 원숭이를 닮은 손 씨거나 아니면 털 없는 모 씨 대협이라 한들, 아니면 요즘 인구(人口)에 회자되는 무림오적 중 한 명이라 한들 그게 나와 무슨 관련이 있겠소? 중요한 건! 내게 있어서 가장 중요한 건!"

장백두는 잠시 말을 끊었다가 힘주며 말을 이었다.

"귀하가 내 군림행(君臨行)에 도움이 되느냐 하는 것이오! 그리고 확실히 귀하는 내게 도움이 되오."

장예추는 어처구니가 없는 표정을 지으며 물었다.

"그럼 내게 도움이 되는 건?"

"조금 전에 말씀드리지 않았소? 귀하가 하는 일에 전폭적인 지원을 아끼지 않겠다고 말이오. 또한 훗날 내가 천하 위에 군림하게 될 때 귀하와 귀하의 동료들은 각 지역의 패주(霸主)가 되어 함께 천하를 지배하게 될 것이오."

장백두는 더욱 강렬하고 뜨거운 어조로 웅변을 토했다.

"생각해 보시오. 정사대전이 끝난 지도 이십여 년이 넘었소. 그동안 무림을 지배해 온 태극천맹과 오대가문은 이미 고인 물이 되어 썩고 있소. 그들은 무림의 안녕과 강호의 평화보다는 자신들의 이익에 급급할 따름이오. 그들에게 계속해서 무림을 맡기다가는 파멸에 이르고 말 것이오. 그러니 이제 우리 젊은이들이 나설 때가 된 것이오."

장예추는 묵묵히 선 채 그의 이야기를 들었다.

물론 흥미가 전혀 없는 말은 아니었지만, 그렇다고 언제 금해가 무사들이 뒤쫓아 올지 모르는 상황에서 한없이 마냥 듣고만 있을 정도의 이야기도 아니었다.

장예추가 지금 가만히 기다리고 있는 건 전혀 다른 이유에서였다.

'삼주천(三周天)을 할 시간만 벌자.'

장예추는 지금 장백두가 웅변을 토하는 시간을 이용하여 자신의 내상을 치료하려 했다. 내공을 삼주천 하면서 기를 운용하면 어느 정도 내상을 치유할 수 있을 것이다.

물론 장백두가 그런 사실을 알 리가 없었다. 그는 장예추가 자신의 이야기에 감명받았다고 착각하고는 더욱더 뜨겁게 달아오른 목소리로 말을 이어 나갔다.

"늙은이들에게 미래를 맡길 수는 없소. 언제까지 저 늙은이들이 해 먹는 걸 지켜봐야 하겠소? 이제 우리 젊은이들이 움직여야 하오. 노인네들을 뒤로 물러나게 하고 우리가 전면에 나서야 하오. 젊은 의지와 젊은 결의와 젊은 사고방식으로 세상을 다스려야 하오. 그 역사적인 과정에 귀하가 함께하기를 간곡하게 부탁하오."

장예추는 여전히 묵묵히 버티고 서 있었다. 장백두는 잠시 장예추를 바라보다가 다시 입을 열었다.

"귀하를 망설이게 하는 무언가가 있다면 서슴지 말고 말씀해 주시오. 받아들일 건 받아들이고 고칠 건 고치고 풀어 드릴 건 모두 풀어 드릴 터이니."

여전히 장예추는 아무런 말이 없었다. 장백두의 눈가에

슬슬 짜증의 빛이 스며들었다. 그는 길게 한숨을 토해 내며 입을 열었다.

"비록 우리가 젊다고는 하나, 아직 미래가 창창하다고는 하나 이렇게 마냥 속절없이 시간을 보낼 수는 없소. 이렇게 허투루 보내기에는 우리의 시간이 너무나도 아깝지 않소? 그러니 앞으로 반각의 시간을 드리겠소."

장백두는 최후의 통첩처럼 말했다.

"그동안 심사숙고하여 결정해 주시기 바라오. 내 제안을 받아들일지, 아니면 이 자리에서 우리에게 포박당한 채 금해가로 끌려갈 것일지 말이오."

장예추에게 있어서 반각의 유예는 실로 꿀과 같은 시간이었다. 그는 장백두에게서 시선을 떼지 않은 채 운기조식을 하는 데 집중하였다.

초조한 침묵이 어둠 위로 내려앉았다. 멀리 동정호 물결이 유난히 거친 소리를 내기 시작했다. 수십 척의 쾌속선들이 물길을 가르는 소리처럼 들려왔다.

장백두는 입술을 깨문 채 가만히 장예추를 지켜보다가 결국 크게 한숨을 내쉬며 입을 열었다.

"아아, 어쩔 수 없구려."

장백두는 한탄하듯 말했다.

"귀하에게 드릴 시간은 이게 전부요. 이제 귀하는 우리의 적이 되어……."

그때 장예추가 입을 열었다.

"그런데 말이지."

장백두의 눈빛이 환하게 반짝였다.

"말씀하시오."

장예추는 차분한 어조로 말했다.

"그대 뒤의 노인네들은 늙은이가 아닌가? 늙은이들에게 미래를 맡길 수 없다고 말하면서 늙은이들의 도움을 받는 건 왠지 부끄러울 것 같은데."

장백두의 얼굴이 일그러졌다.

2. 탁소호(托素湖)의 물은 여전히 짠가?

장백두가 두 번 다시 없을 명연설을 하고 있을 때, 북문을 통과하여 악양부를 탈출한 한 대의 마차는 그리 얼마 가지 못한 채 관도 한복판에 멈춰 서야만 했다.

깊은 밤, 인적이 끊긴 관도 그 한복판을 가로막고 서 있는 자들이 있는 까닭이었다.

마부석에 앉아 있던 설벽린은 낯을 찌푸린 채 가늘게 눈을 뜨며 사람들을 둘러보았다. 검은 무복을 입고 커다란 죽립으로 얼굴을 가린 다섯 명이었다.

'응? 어디선가 본 것 같은데?'

설벽린은 고개를 갸웃거리다가 뒤늦게 생각이 미쳤다. 동정호 화선에 이르는 수상길에서 잠시 눈여겨봤던 자들이었다.

당시 유 노대가 그들의 걸음걸이를 보고 이야기했던 말이 설벽린의 뇌리에 떠올랐다.

—보법이 극에 달했구나. 자연 그대로의 움직임이다.

그 소리에 설벽린도 삿갓을 쓴 저 자들의 움직임을 유심히 지켜본 기억이 있었다.

'그런데 저들이 왜 우리 앞을 가로막은 거지? 뭔가 착각을 한 게 아닐까?'

설벽린이 의아해하고 있을 때였다. 마차가 관도 한가운데 선 채 움직일 생각을 하지 않자, 마차 창이 열리고 만해거사의 머리가 쑥 튀어나왔다.

"뭐하는 게냐?"

설벽린은 재차 눈살을 찌푸렸다. 그러고는 가볍게 목청을 가다듬으며 꾀꼬리 같은 목소리로 말했다.

"길을 막고 계시는 손님들이 있거든요."

"음?"

만해거사는 의아한 표정을 지으며 문을 열고 내려왔다. 담호가 그 뒤를 따라나서려 하자 만해거사가 들어가라는 손짓을 하며 문을 닫았다.

만해거사는 어슬렁거리며 마차 앞까지 걸어갔다. 그는 대나무로 만든 삿갓을 쓴 자들을 둘러보고는 정중하게 손을 모으며 말했다.

"무슨 용무가 있어서 이렇게 우리들의 앞길을 막고 있는 것이오? 우리는 그대들과 안면이 없는데, 뭔가 착오가 있는 게 아니오?"

삿갓 쓴 자들 중 한 명이 앞으로 한 걸음 걸어 나오더니 천천히 입을 열었다. 어눌한 한어(漢語)가 흘러나왔다.

"그대들이 무림오적인가?"

일순 마부석에 앉아 있던 설벽린의 눈매가 가늘어졌다. 만해거사는 노련하게 어리둥절한 표정을 지으며 되물었다.

"무림오적이라니? 그건 또 무슨 소리이시오?"

"다 알고 왔다."

삿갓 쓴 자는 여전히 한어를 배운 지 얼마 되지 않은 것처럼 어눌한 말투로 띄엄띄엄 말했다.

"원래는 그냥 지켜보려고 했다. 그게 명령이었으니까. 하지만 화선에서 싸우는 걸 보고는 한번 붙어 보고 싶었다. 그래서 지금껏 계속 그대들의 뒤를 쫓고 있었다."

만해거사의 심장이 쿵! 내려앉았다.

'지금껏 우리 뒤를 쫓았는데도 전혀 눈치채지 못했다니! 이자들, 생각보다 훨씬 고수들이다.'

불안한 기분이 등골을 타고 스멀스멀 기어 올라왔다.

무엇보다 상황이 좋지 않았다. 지금 마차에는 다 죽어가는 화군악과 초유동이 있었고, 어린 담호와 초목아가 있었다. 이 정체를 알 수 없는 자들과 싸울 수 있는 자는 유 노대와 만해거사 자신뿐이었다.

'굳이 벽린까지 치자면 셋이라 할 수 있겠지만, 그렇게 따지면 담호까지 전력에 넣어야겠지.'

하필이면 강만리와 담우천, 나찰염요와 장예추가 없는 상황에서 저런 막강한 실력의 고수들과 조우한 건 확실히 불운이라 할 수 있었다.

만해거사는 긴장감이 깃든 눈빛으로 삿갓 쓴 자들의 면면을 훑어보았다.

적당한 키에 적당한 체격. 삿갓을 깊게 눌러 써서 얼굴 생김새는 확인할 수 없었지만 목소리를 듣건대 삼십 대 초중반의 나이. 그것 말고는 더 이상 알아낼 수 있는 것이 없었다.

아, 하나 더 있었다. 아무래도 저 어눌한 말투를 듣자하니 이국인(異國人)일 가능성이 크다는 것 정도.

만해거사는 머리를 굴리며 입을 열었다.

"왜 우리와 싸울 생각이 들었소?"

"그대들이 강했으니까."

삿갓 쓴 자는 당연하다는 듯이 말했다.

"강한 자와 싸우는 건 본능과도 같다. 사실 다른 배에 타고 있던 자들이 더 강해 보였지만 그들의 뒤를 놓쳤다."

'이런.'

꿩 대신 닭의 신세로군.

만해거사는 저도 모르게 쓴웃음을 흘리며 말했다.

"그것도 우스운 말이오. 놓쳤다고 포기하고 우리를 뒤쫓다니. 솔직히 말하시오. 그들이 너무나 강해서 두려움을 느낀 게 아니오?"

일순 다른 네 명의 사내 중 한 명이 성난 목소리로 소리쳤다. 놀랍게도 그의 입에서는 한어가 아닌 이국(異國)의 언어가 튀어나왔다. 더 놀라운 것은 그 낯선 이국어(異國語)를 만해거사가 알아들었다는 것이다.

"개소리는 집어치워라!"

사내는 그런 험한 욕설을 서장의 언어로 내뱉었다. 만해거사는 눈을 동그랗게 뜨고 저도 모르게 서장어(西藏語)로 물었다.

"서장에서 왔는가?"

이번에는 삿갓 쓴 자들이 움찔거렸다. 욕설을 내뱉었던 자가 성급하게 물었다.

"우리 말을 아나?"

만해거사가 웃으며 고개를 끄덕였다.

"소싯적에 서장에서 산 적이 있었지. 두어 스마라고 아나?"

삿갓 쓴 자도 황급히 고개를 끄덕이며 말했다.

"우리도 두어 스마에서 왔다."

두어 스마는 서장의 황수(湟水)와 황하의 최상류 지점이 합류하는 하황곡(河湟谷)에서 황하 상류까지 이르는 지역을 아우르는 서장어였다.

청해호(青海湖) 서쪽에 인접한 지역이라고 해서 대륙의 사람들은 두어 스마를 해서(海西)라고 부르기도 했다.

만해거사가 반가워하며 말했다.

"알고 보니 동향(同鄕) 사람이었구나. 그래, 탁소호(托素湖)의 물은 여전히 짠가?"

탁소호는 청해호와 같은 함수호(鹹水湖)였다. 함수호는 염분이 많아 물맛이 짠 호수를 뜻하며, 일반적으로 강우량이 적은 건조한 지방에 많고 물길이 빠져나가는 데가 없이 사방이 갇혀 있었다.

사내들이 웃었다.

"언제나 짰지만 작년에는 평소보다 몇 배는 더 짰다. 아마도 보호존(保護尊)께서 우리를 위해 더 많은 눈물을 흘리신 모양이다."

선두에 선 사내의 말에 다른 자들이 일제히 불호를 외

웠다. 만해거사도 함께 불호를 외웠다. 서장에서 말하는 보호존은 곧 대륙의 관세음보살로, 서장에의 특별한 보호본존(保護本尊)이었다.

한편 마부석에 앉아 있던 설벽린은 눈을 휘둥그레 뜬 채 그들이 서장어로 대화를 나누는 걸 지켜보았다. 무슨 이야기를 나누는 건지는 모르지만 처음보다 분위기가 화기애애해진 건 확실히 알 수 있었다.

만해거사는 계속해서 그들과 웃으며 대화를 나누다가 문득 옛 기억을 회상하듯 입을 열었다.

"아, 그립군그래. 판첸 라마(喇嘛)께서는 여전히 정정하신지 모르겠구나."

일순 삿갓 쓴 자들의 몸이 경직되었다. 사내들은 서로의 눈치를 살피다가 선두에 나선 자가 조심스레 입을 열었다.

"판첸 라마와 아는 사이인가?"

만해거사는 빙긋 미소를 지으며 말했다.

"굳이 따지자면 내 사부와 같으신 분이다. 한때 그분을 사사(師事)하고 가르침을 받았으니까."

순간, 놀랍게도 다섯 명의 삿갓 쓴 자들이 일제히 무릎을 꿇고 절을 올리기 시작했다. 만해거사가 깜짝 놀랄 때, 사내들은 합창하듯 소리 높여 말했다.

"닝마파의 제자들이 사숙을 뵙습니다."

만해거사의 눈이 휘둥그레졌다.

"그대들도 닝마파의 제자들이었나?"

"그렇습니다. 판첸 라마는 우리들의 사조(師祖)이시며, 구루 라마께서 우리의 사부이십니다."

"오호, 구루가 라마가 되었구나."

만해거사가 즐거워하며 말했다.

닝마파는 서장 불교의 사대종파(四大宗派) 중 하나이며 대륙의 언어로는 저마파(宁瑪派)라고 불렸다. 닝마는 서장어로 '고대'와 '오래된'이라는 뜻을 지녔고, 경전 공부보다는 유가(瑜伽:요가) 수련을 더 중시하며 밀교의 전통을 가장 잘 간직한 종파였다.

만해거사는 정사대전을 치르며 피폐해진 몸과 마음을 추스르기 위해 서장으로 갔다가 그곳에서 판첸 라마를 만나 그에게 유가밀공을 배운 적이 있었다.

나라가 다르고 언어가 다르며 믿는 종교가 다른 까닭에 비록 정식으로 사제의 연을 맺지는 않았지만, 그래도 만해거사는 판첸 라마를 사부라 생각했고 또 판첸 라마 역시 그를 제자라고 여기며 다른 제자들과 동등하게 대우해 주었다.

구루 라마는 그 여러 제자 중 한 명으로 특히 만해거사와 친하게 지내던 자였다.

그는 한 번도 가 보지 못한 중원에 대한 호기심에 눈빛을 반짝이며 만해거사의 이야기에 귀를 기울였고, 또 유가밀공과 의술과 무공의 연관 관계에 대해서 몇 날이나 밤을 지새우는 토론을 벌이기로 했다.

만해거사는 감개무량한 눈빛으로 다섯 사내를 내려다보았다.

절을 마친 사내들은 곧 자리에서 일어나 삿갓을 벗고 공손하게 손을 모았다. 확실히 그들 모두 삼십 대 초반의, 서장인 특유의 생김새를 지닌 외모를 지니고 있었다.

만해거사는 그들과 나눌 이야기가 많았지만 무엇보다 가장 궁금했던 부분을 먼저 물어보았다.

"조금 전에 명령을 받고 움직인다 했는데, 그게 구루라마의 명령인 건가?"

일순 사내들은 살짝 당황한 기색으로 서로를 돌아보며 입을 열지 못했다.

3. 한 대 맞기 전에

"허험."

장예추의 날카로운 지적에 잠시 할 말을 찾지 못하던 장백두는 이윽고 헛기침을 하며 입을 열었다.

"좋소. 역시 내 눈이 틀리지 않았소. 내게는 그렇게 따끔한 조언을 해 줄 사람이 필요하오. 다시 한번 귀하의 영입에 대한 필요성이 확고해졌소이다."

'허어.'

언변만 좋은 줄 알았더니 얼굴도 두껍다. 불리한 주제를 은근슬쩍 넘어갈 줄도 알고, 또 자신의 부족함을 인정할 줄도 안다. 동시에 위기를 기회로 만들 줄도 알고 있다.

이런 자가 정치를 하게 된다면 얼마나 잘할 수 있을까.

'우리와는 궤가 다른 부류의 사람이구나.'

장예추는 그렇게 생각했다.

강호 무림인이라고 해서 모두 다 똑같은 부류의 인물이 아닌 게다.

무림인이면서 돈을 중시하는 이들이 있는 것처럼, 무림인이면서 정치와 권력을 탐하는 자가 있는 것이다. 세상 모든 무림인들이 모두 무공에 미쳐 혈안이 되어 있는 건 아니라는 것이다.

어쨌든 장백두는 장예추들과 부류가 달랐다. 어쩌면 목표는 같을지 몰랐다. 오대가문과 태극천맹의 붕괴. 최소한 거기까지는 공동의 목표라 할 수 있었다.

이후 장백두가 권력을 쟁취하여 새로운 독재자가 될지, 아니면 오대가문과 태극천맹을 타산지석(他山之石)으로 삼아서 성군(聖君)이 될지는 모르는 일이었다. 무엇보다 그가 권력을 쟁취하게 될지도 의문이기는 했다.

장예추는 입을 열었다.

"다른 건 다 좋은데 딱 한 가지가 마음에 들지 않네."

장백두가 눈빛을 빛내며 말했다.

"그게 무엇이오?"

"그대."

장예추는 똑바로 장예추를 바라보며 말했다.

"그대만 아니라면 충분히 협력할 수 있을 것 같은데, 아쉽게도 그건 안 되겠지?"

장백두의 표정이 딱딱하게 굳어졌다. 형문오공의 전신에서 짙은 살기가 흘러나왔다. 장예추도 내심 내공을 끌어올리며 단단히 대비했다.

장백두는 냉랭한 눈빛으로 장예추를 지켜보다가 한숨을 내쉬며 고개를 설레설레 흔들었다.

"내가 여기까지 했는데도 부족한 모양이구려. 그러고 보면 참 대단한 것 같소. 유 현덕 말이오. 매번 만나 주지도 않는 수모를 겪으면서까지 삼고초려하여 결국 제갈공명을 얻었으니 말이오."

그는 다시 웃는 낯이 되었다.

"비록 내 덕(德)이 유 현덕에게는 미치지 못하겠지만 귀하의 용맹과 지략은 제갈공명 이상이라고 생각하오. 그러니 나는 삼고초려가 아니라 오고초려도 해야지 귀하의 마음을 얻을 수 있을 것 같구려."

'참 대단한 건 유 현덕이 아니라 당신인 것 같네. 이토록 매몰차게 거절당했는데도 불구하고 여전히 끈질기게 매달리다니.'

장예추는 그런 생각을 하면서 입을 열었다.

"열 번 찍어도 안 넘어가는 나무가 있지."

장백두가 지지 않고 말을 받았다.

"그럼 열한 번을 찍어 보겠소."

바로 그때였다.

"도대체 왜 아직 오지 않는지 궁금해서 나와 봤더니 예서 쓸데없는 이야기를 나누고 있었군그래."

묵직한 목소리가 장백두와 장예추의 대화 사이에 끼어들었다.

장백두는 깜짝 놀라며 뒤를 돌아보았다.

놀란 건 장백두뿐만이 아니었다. 그를 호위하듯 서 있던 중년의 제자들은 물론, 심지어 형문오공조차도 미처 그 기척을 알아차리지 못한 듯 상당히 충격을 받은 얼굴로 뒤돌아보았다.

그들의 뒤편, 어둠 속에서 천천히 이남일녀(二男一女)가 걸어 나왔다. 강만리와 담우천, 나찰염요였다.

뒤늦게 그들의 기척을 발견한 형문파 제자들은 황급히 검을 빼 들며 싸울 자세를 갖췄다.

"검을 물려라."

형문오공 중 오행검옹이 손을 들어 제자들을 제지했다. 중년의 제자들이 다시 검을 회수하자 이번에는 순양고검이 지시를 내렸다.

"길을 터 주어라."

중년 제자들은 순간적으로 의아한 표정을 지었다.

하지만 그들은 이내 '아, 우리가 협공당하는 위치에 있구나'라고 생각하며 순양고검의 의도를 파악하고는 양옆으로 움직여 강만리들의 길을 터 주었다.

강만리들은 태연하게 그들 사이를 지나서 장예추에게로 다가갔다. 장예추가 허리를 숙였다.

"죄송합니다. 조금 늦었습니다."

강만리가 눈살을 찌푸렸다.

"걱정했잖아. 시간이 제법 흘렀는데도 약속했던 장소로 오지 않아서."

강만리는 뒤를 힐끗 돌아보며 장예추에게 물었다.

"누구야?"

"형문파의 소공자와 제자들입니다."

"그런데 왜?"

"이야기가 길어집니다."

"짧게 정리하면?"

"우리더러 자신의 휘하에 들어오라고 회유하는 중입니다."

"응?"

강만리의 눈이 휘둥그레졌다.

"우리가 누구인지 알고?"

장예추가 한숨을 쉬며 말했다.

"뭐, 대충은 알고 있는 것 같습니다."

"우리를? 나는 한 번도 만난 적이 없는데? 아니, 형문파라는 문파 자체도 오늘 처음 들어 봤다."

강만리는 의아한 표정을 지으며 장백두를 돌아보았다. 이때 장백두는 형문오공들로부터 귀엣말을 전달받는 중이었다.

"고수들입니다."

"특히 저 멧돼지와 같이 생긴 자와 냉엄한 인상의 사내는 쉽게 만날 수 없는 초절정의 고수들입니다."

"아무래도 길(吉)보다는 화(禍)가 많을 것 같습니다."

그랬다.

형문오공은 강만리와 담우천을 보자마자 그들의 무위가 어느 정도인지 알아차렸다. 그래서 호랑이를 몰라보고 덤벼드는 하룻강아지 꼴이 될까 봐, 얼른 형문파 제자들을 옆으로 물러나게 한 것이다.

장백두는 강만리와 담우천에게서 눈을 떼지 않은 채 소곤거렸다.

"저 청년과 비교해서 어떻습니까?"

순양고검이 가볍게 눈살을 찌푸리며 대답했다.

"그 경지에 오르면 누가 낫고 하는 비교가 무의미하게 됩니다. 승부는 그날의 몸 상태와 계략과 운에서 갈라질 테니까요."

"그럼 다섯 어르신과 비교하면 어떻습니까?"

"그건……."

순양고검은 살짝 망설이다가 대답했다.

"목숨을 걸고 싸운다면 지지는 않을 것 같습니다. 이긴다는 장담은 할 수 없겠지만."

"허어."

장백두는 저도 모르게 얕은 탄성을 흘리며 재차 강만리와 담우천을 바라보았다.

아마도 저들이 바로 초일방이 이야기한 적이 있는 무림오적이라는 자들일 것이다. 오대가문을 상대로 싸우고 있는, 심지어 적잖은 성과까지 내고 있다는, 그래서 천하의 오대가문을 당황하게 만들고 있다는 무림오적일 것이다.

'음? 그리고 보니 낯이 익은데?'

장백두는 문득 담우천 곁에 서 있는 나찰염요를 보며 눈을 찡그렸다.

화려하고 뇌쇄적이며 우아했다. 심지어 초운혜조차 고개를 숙일 정도로 아름답기까지 했다. 비록 삼십 대이기는 하지만 이런 미모의 여인을 만난 적이 있다면 결코 잊을 수 없었을 것이다.

'그렇다면…….'

장백두는 잠시 머리를 굴리며 생각하다가 크게 고개를 끄덕였다.

"그렇군!"

저도 모르게 입 밖으로 목소리가 흘러나왔다. 두런두런 대화를 나누고 있던 강만리 일행이 장백두를 돌아보았다. 장백두는 나찰염요와 담우천을 새로운 눈빛으로 바라보면서 두 손을 모아 인사했다.

"벌써 몇 번이나 만난 적이 있었는데도 미처 몰라뵈었습니다. 결례를 용서하십시오."

확실히 장백두는 담우천과 나찰염요는 만난 적이 있었다. 금룡회에서, 그리고 대복객잔에서.

물론 그들과 마주칠 때마다 손수건으로 얼굴을 가리고 눈만 내밀고 있었지만, 그래도 나찰염요의 그 크게 아름답고 매혹적인 눈빛만큼은 잊을 수가 없었다.

"아는 사이십니까?"

강만리가 눈을 동그랗게 뜨고 담우천에게 물었다. 담우천은 고개를 저으며 말했다.

"모르는 사이네. 기억도 없고."

장백두의 얼굴이 살짝 일그러지려는 순간, 그는 애써

호탕하게 웃으며 말했다.

"하하하! 워낙 무명소졸(無名小卒)이다 보니 미처 모르셨을 겁니다. 당연한 일입니다. 하지만 어쨌든 저는 귀하께서 무정검왕을 쓰러뜨리던 그 자리에서 직접 이 두 눈으로 목도한 바가 있으니까요. 그 싸움은 지금 돌이켜 생각해 봐도 실로 장엄하기까지 했습니다."

장백두의 말에 이번에는 형문오공이 놀랐다.

"저자가 무정검왕에게 중상을 입혔다는 자입니까?"

순양고검의 귀엣말에 장백두는 한 차례 고개를 끄덕이고는 다시 담우천을 바라보며 말했다.

"우연찮지만 이렇게 만나게 되었으니 술 한잔 대접해 드리고 싶습니다."

강만리가 눈살을 찌푸리며 입을 열었다.

"우리에게는 그럴 시간이……."

장백두는 강만리의 말을 가로채며 이야기했다.

"하지만 아쉽게도 귀하들께서는 금해가에게 쫓기는 형국이니 그럴 시간이 없으시겠죠."

강만리가 입을 꾹 다문 채 팔짱을 꼈다. 장백두의 말이 계속해서 이어졌다.

"제가 하고픈 말은…… 아차, 아직 이름도 알지 못하는군요. 뭐, 모 대협이든 손 대협이든 저분께 다 말씀드렸습니다. 그러니 천천히 상의하셨다가……."

"거절하네."

담우천이 잘라 말했다. 장백두는 웃으며 말했다.

"괜찮습니다. 다시 한번……."

"싫다."

이번에는 장예추가 말했다. 장백두는 웃으며 말했다.

"상관없습니다. 적어도 다섯 번은 더……."

"그렇게 구질구질하면 좋아할 여자가 없어요."

나찰염요가 말했다. 장백두는 홀린 듯 그녀를 바라보며 말했다.

"그래도 끈질긴 구애를 받게 되면 결국 함락되는 게……."

"이제 그만해라."

강만리가 그의 말을 자르며 앞으로 한 걸음 나섰다.

장백두는 그제야 입을 다물고 강만리를 바라보았다. 강만리는 소매를 걷어붙이고는 솥뚜껑만 한 손으로 불끈 주먹을 쥐며 입을 열었다.

"한 대 맞기 전에 꺼져라, 애송이."

4장.

종리군이 누군데?

장예추의 의문에 강만리는 어깨를 으쓱거리며 대답했다.
"강호 사정에 해박하고 심지어 무림오적의 존재까지 알고 있는 자가 있어서, 종객파에게 이런저런 조언을 할 수도 있잖아?"

1. 누구의 명령이더냐?

—한 대 맞기 전에 꺼져라, 애송이.

그건 평범한 사람이 듣기에도 치욕적인 말이었다. 하물며 천하 위에 군림하겠다는 포부와 야망을 지닌 자에게 있어서는, 그것도 혈기방장(血氣方壯)한 이십 대 청년에게 있어서는 그야말로 굴욕적인 이야기였다.

장백두는 하마터면 참지 못할 뻔했다. 뒷일이야 어찌되든 저 오만하고 거만한 멧돼지의 코를 납작하게 해 주고 싶었다.

하지만 바로 그때 장백두는 '한신(韓信)의 굴욕'을 떠올렸다.

한갓 시정잡배의 위협에 굴복하여 스스로 그자의 가랑이 사이를 기어갔던, 훗날 대장군이 된 한신의 그 굴욕담(屈辱談)을 기억했다.

'영웅이 되려는 자에게는 늘 이런 수모와 수치의 순간이 찾아오기 마련이다. 그걸 어떻게 넘기느냐에 따라서 운명이 갈라지고 미래가 바뀌게 되는 것이고.'

장백두는 그래서 웃었다.

마치 죽마고우의 농담이라도 들은 양 활짝 웃었다. 그리고 한없이 차분한 어조로 말했다. 진심을 담아서, 아니 최대한 진심을 담는 듯한 표정과 목소리로 이야기했다.

"그럼 오늘은 인사만 나누는 거로 하겠습니다. 형문파의 장백두가 무림오적 여러분들과 처음 만나는 날이라고 생각하겠습니다. 하지만 이게 끝이 아니라 시작이라는 건 여러분들께서도 명심해 주시기 바랍니다. 여러분들께서 승낙해 주실 때까지 이 장백두, 최선을 다해 여러분들을 설득할 테니까요."

그렇게 말을 맺은 장백두는 두 손을 모아 정중하게 인사를 한 후 어둠 속으로 사라졌다.

그를 따라 막 몸을 돌리던 형문오공의 시선이 날카롭게 담우천을 찔렀다. 담우천은 무심한 눈빛으로 그들의 시선을 마주했다.

형문오공은 아무 말 없이 몸을 돌려 장백두의 뒤를 따랐다. 형문파의 중년 제자들 또한 무기를 거둬들이고 어둠 저편으로 사라졌다.

“호오, 재미있는 친구네.”

강만리는 감탄하며 고개를 끄덕였다.

“내 도발에도 넘어오지 않는 걸 보면 제법 참을성과 인내심도 있고, 말하는 걸 보면 강단도 있어. 정유 이후로 오래간만에 보는 인재라고 할 수 있겠다.”

강만리의 말에 장예추가 살짝 놀란 표정을 지었다.

그는 강만리가 정유를 얼마나 높게 여기는지 잘 알고 있었다. 언젠가 술자리에서 정유를 두고 차기 태극맹주가 될 만한 자질과 인성과 매력을 지닌 친구라고 말한 적이 있었으니까.

강만리가 문득 손뼉을 치며 화제를 전환했다.

“자, 뭐 저 청년이 영웅이 될지 간웅이 될지 역적이 될지는 나중 일이고. 금해가가 뒤쫓아오기 전에 우리도 얼른 자리를 피해야겠지.”

“그래야죠.”

장예추가 고개를 끄덕였다.

“황학루까지 쉬지 않고 달리는 겁니다.”

동시에 네 사람은 곧바로 경공술을 발휘, 북문을 향해 질주하기 시작했다.

악양부 북문은 무슨 일이 있었는지 모르지만, 꽤 어수선해 보였다. 포두와 포졸들이 다급한 표정을 지은 채 뭔가 신중하게 이야기를 나누고 있었다.

하지만 그런 사소한 일에 신경 쓸 계제가 아니었다. 강만리 일행은 경비가 허술한 성벽을 찾아 단번에 벽을 뛰어넘은 뒤, 다시 관도를 따라 네 마리 말처럼 빠른 속도로 달려나갔다.

장막 같은 어둠이 내려앉은 관도는 한없이 고즈넉했다. 그 관도를 따라 경공술을 펼치는 강만리 일행의 귓전으로 연신 세찬 바람이 스치고 지나갔다.

얼마나 달렸을까.

앞서 달리던 장예추가 갑자기 속도를 늦췄다. 뒤따르던 담우천과 나찰염요, 그를 따라 속도를 늦췄다. 영문도 모른 채 속도를 늦춘 강만리가 장예추에게 물었다.

"무슨 일인데?"

장예추가 정면을 주시한 채 나지막한 소리로 말했다.

"오십여 장 앞에서 사람들이 대화를 나누고 있습니다."

"응? 이 관도 한가운데에서?"

"네, 그렇습니다."

강만리는 장예추의 대답을 들으며 천조감응진력을 끌어올렸다. 풀벌레 소리 하나 들리지 않는 가운데, 저 어둠 저편에서 나누는 대화 소리가 희미하게 들리기 시작했다.

일순 강만리의 눈이 휘둥그레졌다.

"저게 어느 지방 사투리야? 전혀 알아들을 수가 없는데?"

강만리는 포두직에서 잘린 이후 지금껏 나름대로 이곳저곳 여행을 하면서 많은 지역의 사투리를 들어 봤지만, 저렇게 말 한마디도 알아들을 수 없을 정도로 지독한 사투리는 처음이었다.

"서장어인 것 같군."

잠자코 귀를 기울이고 있던 담우천이 불쑥 말했다. 강만리가 그를 돌아보았다.

"서장어요? 난데없이 이 악양부 관도 한복판에서요?"

"그러니까 말이지."

담우천이 가만히 듣고 있다가 문득 희미하게 미소를 짓자 강만리가 서둘러 물었다.

"뭔가 알아들으신 내용이라도 있습니까?"

"아니, 서장어는 거의 모르네."

"그럼 왜 웃으셨는데요?"

"누가 서장어로 이야기하고 있는지 알 것 같아서."

"그게 누굽니까?"

"만해 사부."

"만해 사부요? 아, 그렇죠. 만해 사부가 한때 서장에 계셨다고 했죠?"

"그래. 대화를 나누는 이들 중 나이 든 사람의 목소리가 아무래도 만해 사부의 목소리인 것 같네."

강만리는 담우천의 말에 다시 천조감응진력을 펼쳐서 대화를 나누는 목소리에 집중했다. 확실히 그렇게 생각하고 들어서 그런지 만해 사부의 목소리가 들리는 것 같았다.

'하지만 아닌 것 같기도 하고.'

강만리는 이내 고개를 흔들며 말했다.

"예서 이럴 게 아니라 얼른 가보죠. 과연 만해 사부가 서장어로 대화를 나누고 있는지, 그렇다면 누구와 대화를 나누는지 직접 눈으로 보고 확인하는 게 더 빠르겠습니다."

강만리는 서둘러 관도를 달렸다. 얼마 가지 않아 관도를 가로막고 서 있는 마차 한 대가 보였다. 강만리는 다시 걸음을 멈추고 주의 깊게 살폈다.

마부석 양옆으로는 밤길을 밝히는 등불이 밝혀져 있었는데, 그 불빛 아래로 대여섯 명의 사람들이 관도에 나와 이야기를 나누고 있는 모습이 보였다. 그리고 그들 사이에 만해거사가 있었다.

"형님 말씀이 맞았습니다. 만해 사부네요."

강만리가 한숨을 쉬며 중얼거렸다.

"이럴 줄 알았으면 굳이 황학루에서 만나자고 약속하지 않아도 되었을 뻔했습니다."

"뭐, 어쨌든 황학루에서 만나자고 했으니까 다들 이 관도에 모인 게 아니겠나?"

담우천은 그렇게 말하며 천천히 마차를 향해 걸어갔다. 다른 이들이 그 뒤를 따라 걷기 시작했다.

그때 만해거사는 서장의 사질(師姪)뻘 되는 자들에게 진지한 표정을 지은 채 묻고 있었다.

"조금 전에 명령을 받고 움직인다 했는데, 그게 구루 라마의 명령인 건가?"

삿갓 쓴 자들은 멈칫거리며 서로를 돌아보았다.

만해거사는 날카로운 눈빛으로 그들을 지켜보았다. 아무래도 그 당황하는 모습을 보면 구루 라마의 명령으로 움직이는 게 아닌 모양이었다.

만해거사는 냉엄한 목소리로 재차 물었다.

"그럼 누구의 명령이더냐?"

삿갓 쓴 자들은 망설이다가 조심스럽게 대답했다.

"죄송합니다. 말씀드릴 수가 없습니다."

"자네들의 스승인 구루 라마의 사형인 내가 묻는데도?"

"그게 그러니까……."

삿갓 쓴 자들은 머뭇거리다가 문득 만해거사의 뒤쪽으로 시선을 돌리고는 황급히 자세를 낮추며 싸울 준비를 했다.

순식간에 그들의 전신에서 강렬한 투기와 살기가 흘러 넘쳤다. 만해거사는 무슨 영문인지 몰라 그들이 응시하는 방향으로 고개를 돌렸다.

"아!"

만해거사가 활짝 웃었다. 마차 뒤쪽으로 걸어오고 있는 이들은 다름 아닌 담우천 일행이었다. 만해거사는 웃는 낯으로 삿갓 쓴 자들을 돌아보며 말했다.

"내 동료들이다. 안심해도 좋다."

하지만 삿갓 쓴 자들은 안심하지 않았다. 외려 더욱더 날카로운 경계의 눈빛으로 목소리로 말했다.

"그럼 우리는 이만 물러가겠습니다. 나중에 찾아뵙고 오늘의 무례를 사과드리겠습니다."

"한 가지 조언을 드리자면 이른 시일 내에 저자들과 헤어지십시오, 사숙. 사숙을 위해 말씀드리는 겁니다."

"서장은 총카파 세력이 권력을 잡았습니다. 사부께서는 그들을 피해 은신 중이십니다."

"그럼 우리는 이만."

삿갓 쓴 자들은 허리를 숙여 인사를 하는가 싶더니, 이내 연기처럼 그 자리에서 사라졌다.

장예추의 은형환무처럼, 하지만 근거리에서 반드시 다시 모습을 드러내는 은형환무와는 달리 두 번 다시 그들의 모습은 나타나지 않았다.

"누굽니까?"

강만리가 다가와 물었다.

그 소리를 들었는지 마차 문이 왈칵 열리고 유 노대와 담호가 튀어나왔다.

"많이 기다렸니?"

나찰염요가 활짝 웃으며 두 팔을 벌려 담호를 안았다. 담호는 어색하게 웃으며 은근슬쩍 그녀의 품에서 빠져나왔다.

설벽린이 마부석에서 훌쩍 뛰어내리며 물었다.

"어떻게 되었어요? 금해가는요? 설마 초일방까지 해치운 건 아니겠죠?"

그의 질문에 사람들이 모두 호기심 가득한 눈빛으로 강만리 일행을 바라보았다. 강만리는 쓴웃음을 흘리며 말했다.

"자, 자. 이럴 게 아니라 마차를 타고 가면서 이야기합시다. 언제 금해가 놈들이 뒤쫓아 올지 모르니까 말입니다."

"에에? 금해가를 괴멸시킨 게 아니었습니까?"

"괴멸은 무슨. 그게 어디 말처럼 쉬운 일이겠느냐? 너는 얼른 마차를 몰아라."

강만리가 눈살을 찌푸리며 설벽린을 다시 마부석으로 돌려보냈다. 그리고 사람들을 채근하여 마차에 태운 다음 마부석 쪽을 두드리며 외쳤다.

"출발!"

설벽린은 강만리가 듣지 못할 정도의 낮은 목소리로 구시렁거리며 채찍을 휘둘렀다.

"이랏!"

2. 이역만리(異域萬里)

마차 안은 비좁았다.

한쪽 좌석으로 화군악과 초유동이 죽은 듯이 누워 있었다. 체구가 조그마한 초목아와 유 노대가 그 양옆으로 앉았는데 보기에도 영 불편하기 짝이 없어 보였다.

맞은편 좌석에는 만해거사와 담우천, 나찰염요, 강만리와 장예추, 그리고 담호가 찰싹 달라붙어 앉아 있었는데 확실히 부대껴 보였다.

나찰염요가 담호를 돌아보며 다정스레 말했다.

"불편하지? 이리 와서 내 무릎에 앉으렴."

담호는 얼굴을 붉힌 채 힐끗 초목아를 훔쳐보았다. 그러고는 일부러 더 의젓한 표정을 지으며 말했다.

"아뇨. 괜찮아요, 어머니."

'어머니?'

나찰염요는 눈을 동그랗게 떴다. 하지만 그녀는 곧 초목아를 바라보고는 빙긋 웃으며 고개를 끄덕였다.

"그래, 그렇게 하렴."

모자의 대화가 멈추자 강만리는 헛기침을 하며 천천히 입을 열었다.

"자, 그럼 누가 먼저 이야기를 할까요?"

장예추는 만해거사가 꽤 심각한 표정으로 뭔가 깊은 상념에 빠져 있는 걸 보고 자신이 먼저 입을 열었다.

"초일방과 겨뤘습니다."

강만리의 눈빛이 반짝였다.

"그럼 그를 해치운 건가?"

"아뇨. 생각 외로 그의 무공이 대단했습니다. 게다가 때마침 가신들로 짐작되는 자들이 나타나는 바람에…… 미처 그를 죽이지 못하고 도망쳐야 했습니다."

장예추는 그곳에서 있었던 일들에 대해 간략하게 설명했다. 그리고 금해가를 빠져나와 도주하다가 마주친 장백두와 그의 제안에 관해서도 이야기했다.

"허어, 진짜 재미있는 친구네. 우리를 자신의 휘하로 거둬들이겠다니 말이지."

강만리가 고개를 설레설레 흔들었다. 담우천도 생각 밖이라는 듯이 중얼거렸다.

"야심 하나만큼은 확실히 천하 위에 군림할 정도인 것

같군."

강만리가 잠시 생각하다가 다시 입을 열었다.

"어쨌든 가는 길이 같다면 굳이 척을 질 필요는 없겠지. 최소한 오대가문을 쓰러뜨릴 때까지 동행하는 것도 나쁘지 않을 것 같군. 우선은 그렇게 정리하고 나중에 군악이 깨어나고 정유와 합류하면 제대로 논의하자고."

강만리는 간단하게 결론을 내린 다음 만해거사를 돌아보며 말을 이었다.

"그 서장 사람들과 아는 사이이십니까?"

"음? 아……."

만해거사는 상념에서 깨어나 길게 한숨을 내쉬었다. 그리고 두 손으로 이마를 쓰다듬으며 입을 열었다.

"내가 서장에 있었던 건 다들 알지?"

"네. 몇 차례 들어 알고 있습니다. 세세한 건 모르지만 말입니다."

"뭐, 세세하게 이야기할 것도 없네."

만해거사는 헛기침을 하며 목청을 가다듬은 후 계속해서 이야기를 이어 나갔다.

"내가 서장에 갔을 때 그곳에는 여러 종파(宗派) 사람들이 세력 다툼을 벌이고 있었지. 원래 서장에는 크게 네 종파가 있어서 각 지역의 패권을 차지하고 있었는데, 그 중 가장 세력이 뛰어나고 정통성이 강한 종파가 닝마파,

우리 한어로 말하자면 저마파라고 하고, 또 붉은 모자를 즐겨 쓴다고 해서 홍모파(紅帽派)라고도 하지. 어쨌든 그 홍모파가 가장 오래된 종파이자 오랫동안 권세를 누리던 종파였다네. 그리고 내가 신세를 졌던 라마가 그 종파의 우두머리셨고."

만해거사의 이야기는 낯설고 이국적이었다. 사람들은, 특히 담호와 초목아는 마치 흥미진진한 옛날이야기를 듣는 것처럼 눈을 반짝이며 집중했다.

"홍모파에 이어 두 번째로 세력이 큰 종파로 겔룩파라고 있다네. 이쪽은 황색 모자를 쓰고 다닌다고 해서 황모파(黃帽派)라고도 하는데, 그 우두머리가 아주 대단한 인물이라네. 순식간에 다른 종파들과 연합하여 홍모파와 맞섰지. 그 자의 이름이 총카파, 우리 식으로는 종객파(宗喀巴)라고 불리지."

강만리는 '참 발음하기 어려운 이름도 다 있다'라고 생각하면서 귀를 기울였다.

"아까 그 삿갓 쓴 자들은 나와 함께 유가밀공을 수련했던 자의 제자들일세. 그래서 나를 사숙으로 부른 거고."

"아, 그런 인연이었군요."

강만리가 고개를 끄덕였다.

"그래, 그런 인연이라네."

만해거사도 고개를 끄덕이며 말했다.

"참으로 알 수 없는 게 하늘의 뜻인 게야. 서장에서 수만 리 떨어진 이곳 악양부에서 옛 동문의 제자들을 만나다니 말이지."

그렇게 말을 마친 만해거사는 추억에 젖은 눈으로 어두운 창밖을 내다보았다.

강만리는 뭔가 의아하다는 표정을 짓다가 불쑥 입을 열었다.

"그런데 왜 갑자기 서장의 고승(高僧)들이 이 이역만리 먼 타국까지 왔을까요?"

"그건……."

만해거사는 어떻게 설명해야 할지 감이 잡히지 않는다는 듯 말꼬리를 흐렸다. 강만리를 비롯한 사람들은 그가 다시 입을 열기를 묵묵히 기다렸다.

"나도 자세한 건 모르네."

만해거사는 생각을 정리한 듯 천천히 다시 이야기를 시작했다.

"우선 하나는 종객파의 황모파가 모든 권력을 차지하게 되었고, 세력 다툼에서 밀려는 홍모파는 그들을 피해 도망치는 신세가 되었다는 거네. 그 와중에 이곳 악양까지 밀려왔을 수도 있겠지."

"흐음."

강만리는 만해거사의 설명이 마땅치 않다는 듯이 살짝

고개를 갸우뚱거렸다. 계속해서 만해거사의 이야기가 이어졌다.

"다른 하나는 누군가의 명령을 받고 우리를 지켜보려 했다는 것일세. 그 아이들은 우리가 무림오적이라는 사실을 정확하게 알고 있었다네."

"으음."

강만리의 신음이 묵직해졌다. 커다란 돌이 그의 가슴을 짓누르는 듯했다. 세상에, 난데없이 나타난 서장의 고승들까지 무림오적을 알고 감시를 하려 했다니.

"그들에게 명령을 내린 자가 누구입니까?"

강만리의 질문은 당연했다.

"모르네."

만해거사는 고개를 저었다.

"사숙이 냉엄하고 매섭게 물어보는데도 녀석들은 쩔쩔매기만 할 뿐 쉽게 입을 열지 못했네. 마침 그때 자네들이 나타났고, 녀석들은 경고를 남긴 채 서둘러 자리를 떴지. 자네들도 본 것처럼 말일세."

"경고라면요?"

"허어. 그게 그러니까…… 자네들과 최대한 빨리 헤어지는 게 나를 위한 길이라더군."

"네에?"

강만리를 비롯한 사람들의 눈이 일제히 휘둥그레졌다.

만해거사는 어깨를 으쓱거리며 말을 이었다.

"그게 무슨 의미인지는 정확하게 모르겠네."

"정확하게 알 필요가 있겠습니까?"

강만리가 마음에 들지 않는다는 표정을 지으며 말했다.

"우리가 무림오적이라는 걸 그들이 알고 있다면, 그리고 만해 사부를 우리에게서 떨어뜨려 놓고자 한다면 당연히 우리를 견제하고 시기하고 모략하고 또 우리와 싸우고자 하는 적일 뿐이니까요. 설령 그들이 만해 사부의 사질들이라 할지라도 말입니다."

"그래서 이상하다는 걸세."

만해거사는 한숨을 내쉬며 말했다.

"중원 무림과는 아무런 연관이 없는 그들이 왜 갑자기 중원에 모습을 드러냈는지, 그리고 왜 무림오적을 감시하려 드는지, 왜 나를 자네들과 떨어뜨려 놓으려 하는지 알 수가 없다는 걸세. 그들이 왜 우리와 적이 되려고 하는 겔까?"

"누군가의 명령을 받았다지 않았습니까? 그 누군가가 우리의 적인 것이죠."

강만리는 단순명료하게 말했다. 그리고 그 단순명료한 결론이야말로 이 모든 사안의 근간을 꿰뚫고 있었다.

"어쩌면 그 종객파인가 뭔가 하는 자가 서장의 우두머

리가 되면서 중원을 침공하여 천하통일을 하겠다는 야욕을 부리는 것인지도 모릅니다. 과거 역사를 돌이켜봐도 서장의 침공은 왕왕 있었으니까 말입니다."

"으음."

"어쩌면 그들은 그 종객파의 밀명을 받아들인 것인지도 모릅니다. 사부나 혹은 다른 동문들의 안전을 볼모로 잡혔을지도 모르죠."

"으음."

강만리의 이야기에 만해거사가 신음을 흘릴 때였다. 뭔가 곰곰이 생각하고 있던 장예추가 불쑥 입을 열었다.

"하지만 말입니다. 오대가문과 태극천맹 몇몇을 제외하고는 세상 사람들 모두 무림오적이라는 단어조차 들어본 적이 없을 겁니다. 그런데 저 이역만리 서장의 우두머리가 우리를 알고 감시하려고 했다는 게 믿어지지가 않습니다."

"그 종객파 곁에서 조언해 주는 자가 있을 수도 있으니까."

장예추의 의문에 강만리는 어깨를 으쓱거리며 대답했다.

"강호 사정에 해박하고 심지어 무림오적의 존재까지 알고 있는 자가 있어서, 종객파에게 이런저런 조언을 할 수도 있잖아?"

"아무리 그래도 그건…… 으음?"

장예추는 문득 눈을 동그랗게 뜨며 입을 다물었다.

일순 강만리를 비롯한 사람들이 그를 돌아보았다. 강만리가 그의 표정을 살피며 물었다.

"뭔가 떠오르는 바가 있나?"

"설마……."

장예추가 홀로 심각한 표정을 지으며 중얼거릴 때였다. 마차 밖 마부석에 앉아서, 내부의 이야기에 귀를 기울이고 있던 설벽린이 뭔가 알아차린 듯 크게 소리쳤다.

"종리군(鐘離君)!"

일순 사람들의 눈이 휘둥그레졌다. 강만리가 눈살을 찌푸리며 마부석에 대고 물었다.

"종리군이 누군데?"

3. 빈집털이

새벽이었다.

동쪽 하늘부터 천천히 개어 오기 시작하면서, 한없이 짙기만 하던 어둠이 엷어지고 사물이 천천히 제 모습을 드러내고 있었다.

밤새 관도를 달린 마차가 멈춰 선 곳은 무한에서 수백

리 떨어진, 흥양(興陽)이라는 마을 근처의 외딴 숲이었다.

땀으로 범벅이 된 말들에게도 휴식을 줄 겸, 또 종리군에 관한 이야기로 나눌 겸 설벽린은 숲의 공터를 찾아 마차를 세우고 말들이 풀을 뜯게 해 주었다.

초목아는 밤새 딱딱한 좌석에 앉아 있던 까닭에 멍이 든 엉덩이를 조심스레 들어서, 마차 밖으로 어기적거리며 걸어 나왔다. 담호가 뒤따라 나오며 물었다.

"걸음걸이가 이상해. 어디 아파?"

초목아의 얼굴이 살짝 붉어졌다. 그녀는 코웃음을 치며 말했다.

"괜한 걱정이네, 마보아(媽寶兒)."

일순 담호의 얼굴이 달아올랐다.

마보(媽寶)는 스스로 모든 걸 처리하지 못하고 책임감이 없는, 오로지 엄마에게 의존하는 아이를 가리켰다. 아무래도 초목아는 나찰염요가 담호에게 보인 애정과 관심이 영 마음에 들지 않는 모양이었다.

"나는 마보아가 아냐."

담호는 눈살을 찌푸리며 말했다. 초목아가 피식 웃었다.

"원래 다들 그렇게 말하지. 됐어. 그만 가 봐. 엄마가 부르신다."

담호는 저도 모르게 뒤를 돌아보았다. 나찰염요가 모닥불 근처로 오라고 손짓을 하고 있었다. 담호의 귓불이 더욱더 붉게 달아올랐다.

"됐어. 나는 누나와 더 이야기하고 싶어."

이번에는 초목아의 눈가가 발그스름해졌다.

"나와?"

"그래."

"왜?"

"그건 음……."

담호는 할 말을 찾아 말을 빙빙 돌리다가 겨우 말을 이을 수 있었다.

"그야 이곳에서 나와 제대로 이야기가 통할 사람은 누나뿐이니까."

"아아, 그래? 나이가 비슷한 또래라서?"

"왜? 그럼 안 돼?"

"아니, 안 될 건 없지. 괜찮아."

소년소녀들이 한쪽 구석에서 그렇게 도란도란 이야기를 나누는 동안, 그들과 십 년 이상 나이 차이가 있는 어른들은 모닥불을 피우고 둘러앉아서 또 다른 대화를 나누기 시작했다.

"종리군은 말입니다."

입을 뗀 설벽린은 힐끗 마차 쪽으로 시선을 돌렸다. 마차 안에는 아직도 화군악과 초유동이 죽은 듯이 누워 있었다.

"군악의 죽마고우였죠."

"음."

강만리는 신음을 흘리며 장예추를 돌아보았다. 그의 시선을 받은 장예추는 이미 종리군이라는 자의 존재를 알고 있었다는 듯이 입을 열었다.

"저도 군악에게 들은 적이 있습니다."

"이런. 그런데 나는 왜 듣지 못했을까?"

강만리가 이맛살을 찌푸렸다. 담우천이 모닥불을 응시한 채 나지막하게 중얼거렸다.

"나도 듣지 못했네."

강만리는 머쓱한 표정을 지었다. 설벽린이 다시 입을 열었다.

"종리 노대라고, 황계 지부주였던 자의 손자라고 했습니다. 군악이 갓 대부인의 제자가 되었을 무렵부터 서로 알고 친하게 지냈다고 합니다."

"종리 노대? 황계 무한 지부의 종리천(鐘離天)?"

강만리가 눈을 동그랗게 뜨고 묻자 설벽린은 어깨를 으쓱거리며 애매하게 말했다.

"그렇게 확실하게 알지는 못하지만 아마도 그렇지 않을까요?"

강만리는 엉덩이를 긁적이며 중얼거렸다.

"음, 종리천이라면 십삼매로부터 들어 본 적이 있거든.

꽤나 충직한 사람이었다지, 아마?"

"뭐, 그게 중요한 건 아니니까요."

설벽린이 짜증스러운 눈빛으로 강만리를 바라보며 말했다.

"어쨌든 군악은 그 종리군이라는 녀석과 오랜 세월 동안 애증(愛憎)의 관계였습니다."

그렇게 시작한 설벽린의 이야기는 새벽이 지나 아침이 될 때까지 이어졌다.

이윽고 그의 이야기가 끝났을 때, 강만리는 물론 담우천과 나찰염요 또한 수많은 감정들이 한데 뒤섞인 표정을 지은 채 한숨을 내쉬었다.

"그런 일이 있었군그래."

강만리는 진중한 표정을 지으며 중얼거렸다.

"과거 나는 북경부에서 군악과 재회한 적이 있었네. 당시 녀석은 그저 모종의 일로 인해 내공을 모두 잃어버렸다고만 했지. 종리군이라는 그 빌어먹을 녀석에 대해서 미주알고주알 늘어놓지 않고 씨익 웃는 걸로 이야기를 마무리했고."

그래서 강만리는 화군악에게 내공을 되찾아 주기 위해 예예와 더불어 북해빙궁을 찾아갔다. 그게 벌써 육칠 년 전의 일이었다.

"어쨌든 만약 그 종리군이라는 녀석이 살아 있다면, 아마도 살아 있을 가능성이 죽었을 확률보다 더 크긴 클 겁니다만, 그때부터 지금까지 놈은 복수를 위해서 혹은 필생(畢生)의 염원인 군림천하를 위한 행보를 계속해 왔을 겁니다."

설벽린의 추측에 강만리는 동의한다는 듯이 고개를 끄덕이며 말을 받았다.

"중원 무림의 본거지를 잃게 되자 새외 변방을 떠돌아 다니면서 세력을 키울 생각을 했는지도 모르겠군. 그렇다면 왜 그가 지난 수년 동안 단 한 번도 모습을 드러내지 않았는지 이해가 되는 일이고."

장예추가 그 말을 받아 이어 말했다.

"그리고 그자라면 무엇보다 확실히 무림오적에 대해서도 잘 알고 있을 테니까요."

"으음. 그렇다면 그 총객파인지 종객파인지 하는 자에게 조언을 주는 자가 종리군일 가능성이, 아니 서장의 형국은 잘 모르지만 말이야. 종객파가 권력을 쥐게 되는 과정에 그 녀석이 끼어 있었을 가능성도 없지는 않군."

"그럼 종객파가 괴뢰(傀儡)일 수도 있겠군요."

"그렇지. 실권은 종리군이 쥐고, 종객파는 그의 뜻대로 움직이는 허수아비라고나 할까."

"음?"

강만리의 이야기에 일순 장예추와 유 노대, 담우천, 나찰염요의 표정이 묘하게 바뀌었다.

기시감(旣視感)이 든 게다. 처음 듣는 이야기임에도 불구하고 언젠가 한 번 정도는 들어 본 적이 있는 듯한 이야기.

장예추와 유 노대, 담우천, 그리고 나찰염요는 서로를 돌아보다가 입을 맞추기라도 한 듯 동시에 한 사람의 별명을 불렀다.

"구미호!"

"구미호!"

강만리가 눈살을 찌푸렸다.

"웬 구미호?"

장예추가 설명했다.

"교룡두라고 교룡회의 회주가 따로 있었습니다만 실질적으로 교룡회를 지배했던 자가 교룡두의 누이동생인 구미호였거든요."

"아아, 그 계집?"

강만리는 어깨를 으쓱이며 말했다.

"뭐, 그게 대단할 게 있나? 장막 뒤에 숨어서 신분과 정체를 감춘 뒤 허수아비를 내세워 조종하는 자들이야 예로부터 수없이 많았으니까."

"그렇기는 하죠."

장예추는 일말의 의구심을 떨쳐 내지 못한 채 수긍하듯

고개를 끄덕였다.

"자, 그럼."

강만리는 손뼉을 치며 결론을 내렸다.

"다른 건 다 차치하고, 종리군이라는 인물에 대해서 기억해 두기로 합시다. 그가 서역을 장악했는지, 또 새외변방을 돌아다니면서 세력을 키워 나갔는지는 확실하지 않으니까 말입니다. 그런 자가 있다는 것 정도, 또 그런 자가 우리들에 대해 관심을 주고 있을지도 모른다는 것 정도만 잊지 않으면 될 것 같습니다."

강만리의 말에 사람들은 대부분 고개를 끄덕이며 동의했다. 오직 단 한 명, 만해거사만이 깊은 시름이 내려앉은 표정을 지은 채 상념에 젖어 있었다.

강만리는 힐끗 그를 바라보았다가 다시 화제를 전환했다.

"어쨌거나 아쉽기는 하군. 금해가의 가주마저 해치울 좋은 기회였는데."

"생각보다 별거 아닌 것 같은데요?"

설벽린이 눈빛을 반짝이며 말했다.

"아까 마부석에서 이야기를 들어 봤는데, 지금이라도 되돌아가서 초일방을 죽이는 건 어떻습니까? 형님들과 예추라면 충분히 가능할 것 같은데요."

"헛소리."

강만리가 눈살을 찌푸리며 말했다. 설벽린이 눈을 동그랗게 뜨며 물었다.

"뭐가 헛소리인데요?"

"지금 다시 돌아가면 놈들이 '어서 옵쇼!'하고 우리를 초일방에게 안내해 줄 것 같더냐? 조금 전 우리가 아무런 타격 없이 금해가 안에 잠입하고 또 운 좋게 초일방과 마주칠 수 있었던 건, 금해가의 병력이 모두 백귀도 쪽으로 몰려가 있었기 때문이다. 한마디로 말하자면 빈집털이였기에 가능했던 일이지."

강만리의 명쾌한 이야기에 설벽린은 입을 삐죽일 뿐 아무런 대꾸도 하지 못했다. 강만리는 계속해서 말을 이어 나갔다.

"물론 초일방 한 명이라면, 아니 어느 가문의 가주라 할지라도 우리와 정면으로 맞부딪친다면 결코 살아남지 못할 거다. 그건 네 말이 맞다. 저 철목가의 정극신도 그렇게 죽었으니까. 하지만…… 웃지 말라고."

강만리의 냉엄한 목소리에 설벽린은 얼른 웃는 얼굴을 지웠다. 강만리는 눈을 흘기며 말했다.

"하지만 거기까지 가는 게 힘들다는 거다. 그들의 수하들을 다 물리치는 건 불가능에 가까운 일이지만 어찌어찌 그렇게 다 물리쳤다고 한들, 이미 넝마나 걸레가 된 몸 상태로 오대가문의 가주와 맞서게 된다면 그때는 외려 우리가 전멸당하게 될 게다."

"으음. 그러니까 무조건 기습이다, 이거네요."

"그게 정답까지는 아니더라도, 우리가 그들과 맞서 싸워 이길 수 있는 방법 중의 하나이기는 하지."

"그럼 놈들의 병력이 우리를 추격하기를 기다렸다가 다시 빈집털이를 하는 건 어떨까요?"

"놈들이 바보냐? 당한 걸 또 당하게?"

강만리의 질책에 설벽린의 어깨가 움츠러들었다. 강만리는 한숨을 쉬며 그를 달래듯, 조금은 부드러워진 목소리로 말을 이어 나갔다.

"게다가 지금 무엇보다 급한 건 군악과 초 노야의 안위다. 그들부터 살려 놓은 다음에 금해가든 종리군이든 상대해야지 않겠느냐?"

그제야 설벽린은 고개를 끄덕였다.

"맞습니다. 형님 말씀이 옳습니다."

"그래. 알면 됐다."

강만리는 지치고 피곤한 듯 길게 한숨을 내쉰 후, 주변을 둘러보았다.

어느새 아침이 되어서 주변은 환하게 밝았다. 사람들은 곧 모닥불을 끄며 다시 마차에 오를 준비를 하기 시작했다.

"음? 아이들은?"

그러고 보니 담호와 초목아의 모습이 보이지 않았다.
"어디 멀리 가지는 않았을 게다."
담우천의 말에 설벽린이 크게 소리쳤다.
"가자, 담호야! 마차 출발한다."
수풀 저편에서 담호와 초목아의 모습이 나타났다. 어딘지 모르게 어색한 담호의 얼굴과 왠지 모르게 의기양양해 보이는 초목아의 표정이 대조되었다.
설벽린은 고개를 갸우뚱거리며 물었다.
"무슨 일 있었냐?"
담호가 황급히 고개를 저었다.
"아뇨, 아무 일도 없었어요."
"그래? 그럼 마차에 타라. 곧 출발할 테니까."
"네, 설 숙부."
담호는 나찰염요와 담우천과 시선이 마주치지 않도록 고개를 숙인 채 마차에 올랐다. 초목아가 그 뒤에 빠짝 붙어서 마차에 올랐다.
"무슨 일이 있었던 게 분명해."
설벽린이 소곤거리자 장예추가 눈살을 찌푸리며 말했다.
"얼른 마부석으로 갑시다."
"응? 너도 마부석에 앉게?"
"안이 비좁거든요."

"그럼 나야 좋지. 심심하지 않을 테니까."

설벽린은 기뻐하며 마부석에 올랐고 바로 곁에 장예추가 앉았다. 언뜻 보아서는 한 쌍의 선남선녀(善男善女)가 마차를 모는 듯한 광경이었다.

이윽고 사람들이 모두 마차에 오르고, 고삐를 쥔 장예추가 말을 몰아 관도에 올랐다.

"어디로 갈까요?"

관도를 따라 마차가 달리는 가운데, 장예추가 마차 안의 강만리를 향해 물었다.

강만리는 당연하다는 듯이 대꾸했다.

"정유 일행을 따라잡아야지."

정유와 양위가 이끄는 화평장 식구들은 아마도 상단(商團)의 행렬로 변장한 채 이동하고 있을 것이다.

애당초 그들이 강만리와 함께 세웠던 계획은 무당산이 있는 북쪽으로 가는 척하다가 중도에서 동쪽으로 방향을 틀어 하남, 하북을 지나 북해로 향하는 여정이었다.

그렇다면 지금쯤 낙양이나 정주를 지나치고 있을 터였고, 강만리들이 조금 더 빠르게 움직인다면 북경 즈음에서 그들과 합류할 수 있었다.

'뭐, 북경 근처에서 마주치지 못하더라도 유주의 유랑객잔에서는 만나겠지.'

강만리는 팔짱을 끼며 좌석에 등을 기댄 채 생각했다.

'게서 우리를 기다리라고 했으니까 말이지.'

강만리의 심중(心中)을 읽은 것인가. 장예추가 모는 말들은 곧바로 북경을 향해 질주하기 시작했다.

5장.

금해가의 추격대(追擊隊)

하기야 서로 그 결이 다른 세 조직의 절정 고수들을 한데 조화롭게 묶어서 서로 반목하지 않도록 지휘하고 지시를 내릴 만한 이가 과연 얼마나 될까. 그 귀찮고 힘들고 어려운 일을 굳이 나서서 하려는 자가 또 누가 있을까.

금해가의 추격대(追擊隊)

1. 이미 텅 비어 있어요

밤이 깊어 갈수록 백귀도를 포위하기 위해 모여드는 선박의 숫자는 계속해서 늘어났다. 쾌속선을 물론 일반 어선이나 나룻배까지, 그리고 마침내 조태수의 거대한 화선마저 물살을 헤치고 백귀도 가까이 다가섰다.

화선은 수십 명의 비월과 백여 명의 태극천맹 무사들이 장악하고 있었으며, 그들을 지휘하는 이는 아름답고 가녀린 한 명의 여인이었다.

경매에 참가하기 위해 화선에 오른 자들 중 대부분의 인물들은 신원이 확인되는 즉시 하선, 대기하고 있던 쾌속선을 타고 화선을 떠났다. 대륙전장의 장주 금적산 홍진보 같은 이가 그런 경우였다.

하지만 정작 이 화선을 계획하고 경매를 진행한 조태수는 배에서 내릴 수가 없었다. 외려 그는 포승줄에 꽁꽁 묶인 채 태극천맹 무사들의 거친 손놀림에 이끌려 한 여인의 앞에 무릎을 꿇어야만 했다.

여인, 비선의 주인이자 건곤가의 여식인 천소유는 차분하고 부드러운 어조로 물었다.

"그 보주들의 주인이 누군가요?"

조태수는 피식 웃으며 말했다.

"거간꾼의 입장에서 물주를 밝힐 수 없다는 건 삼척동자도 다 아는 일이오만."

"상황이 상황이니까요."

"아무리 상황이 상황이라도 말할 수 없는 건 말할 수 없소이다. 거간꾼의 목숨보다 소중한 게 물주의 비밀이니 말이오."

"지금 그대는 누구를 상대하는지 전혀 모르고 있군요."

"훗. 왜 모르겠소? 아무래도 태극천맹은 날 너무 쉽게 보는 것 같구려. 그래도 명색이 강서낭추, 지혜 꾸러미라는 별명을 지니고 있다오."

"그럼 내가 누군지 알겠어요?"

"물론이오."

조태수는 힐끗 검은 무복을 입은 자들을 둘러보며 말을

이었다.

“비월이 모습을 드러냈다는 건 곧 비선의 주인이 이 근처에 있다는 뜻이 아니겠소이까?”

천소유는 가만히 조태수를 바라보다가 다시 화제를 돌렸다.

“그대에게 피독주를 산 자의 이름은 예추, 성은 장이라고 해요. 수년 전 수많은 태극천맹 사람들과 오대가문 사람들을 살해하고 도망친 악적(惡賊)이죠. 우리로서는 결코 놓치면 안 되는 자이기 때문에 지금 이렇게 조 노야에게 폐를 끼치고 있고요.”

“그런 사정이 있으셨구려.”

조태수는 태연한 얼굴로 말했다.

“하지만 안타깝게도 그자는 생전 처음 보는 얼굴이었소. 하늘에 두고 맹세하오. 아니, 운화에게 두고 맹세한다는 게 더 진실한 말이겠지.”

“운화라면…….”

천소유가 고개를 갸웃거릴 때, 곁에 서 있던 무사들 중 한 명이 나지막한 목소리로 설명했다.

“운화 조민이라는 수정루의 기녀로, 이자가 푹 빠져 있다고 합니다.”

“아.”

천소유는 뒤늦게 생각났다는 투로 가볍게 탄성을 흘리

고는 가볍게 미소를 지으며 말했다.

"어쨌든 나는 그 말을 믿지 못하겠어요."

조태수가 답답하다는 듯이 물었다.

"그럼 어찌해야 믿을 수 있겠소?"

천소유는 대답 대신 고개를 돌렸다.

그녀와 눈빛이 마주친 무사 한 명이 허리를 숙인 채 다가와 무언가를 건넸다. 전표였다. 조태수의 눈빛이 흔들렸다.

천소유는 백만 냥이라는 거액의 숫자가 적힌 전표 두 장을 흔들며 입을 열었다.

"참 이상한 일이죠. 대충 천만 냥짜리 경매가 이뤄졌는데 정작 노야의 품에서는 백만 냥짜리 전표 두 장밖에 없으니 말이에요. 즉, 그 의미는 벌써 물주에게 나머지 돈을 넘겨주었다는 거겠죠?"

조태수는 입술을 깨물었다. 천소유는 그런 조태수의 얼굴을 내려다보며 말을 이어 나갔다.

"하지만 막사에서 나온 사람은 오로지 대륙전장의 금적산과 장예추, 두 사람뿐이에요. 설마 금적산이 보주들의 주인은 아닐 것이고 그렇다면 장예추, 그자가 물주였던 거겠죠. 그러니 저 천하의 금적산과 싸워 경매에서 이길 수 있었던 거고요."

조태수는 아무런 말도 하지 않았다. 천소유는 가만히

그를 내려다보다가 다시 천천히 입을 열었다.

"궁금한 건 두 가지예요. 하나는 장예추와 함께 그대에게 보주를 맡긴 자들이 누구인지 몇 명인지 하는 것, 그리고 다른 하나는 장예추가 경매에 올렸던 피독주를 왜 굳이 막대한 손해를 감수하고 다시 사들였는지 하는 것. 이 두 가지만 대답해 준다면 순순히 풀어 드리겠어요."

조곤조곤 말하던 천소유의 목소리가 문득 매섭게 변했다.

"하지만 끝내 버티고자 한다면 그때는 우리의 손속이 얼마나 매섭고 악랄한지 보여 드리겠어요."

조태수는 묵묵히 천소유를 지켜보다가 문득 빙긋 미소를 지으며 말했다.

"비선의 손속이 얼마나 매섭고 악랄한지 어디 한번 보고 싶구려."

천소유도 따라 웃더니 고개를 돌려 수하에게 냉정한 목소리로 지시를 내렸다.

"가서 그 운화라는 여인을 데리고 오세요."

일순 조태수의 안색이 확 바뀌었다.

"왜, 왜 그녀를…… 아무 죄도 없는 그녀에게 무슨 짓을 하려고……."

천소유는 냉랭하게 말했다.

"한번 보여 드리려고요. 우리의 손속이 얼마나 매섭고

악랄한지 말이에요."

조태수의 얼굴이 일그러졌다.

* * *

거대한 화선이 백귀도 근처에 다가갈 무렵, 결국 조태수는 비선의 매섭고 악랄한 수법에 항복했다.

그는 생기가 사라진 눈빛으로, 피투성이가 된 채 아무렇게나 쓰러져 있는 조민을 바라보며 천천히 입을 열었다.

"세 명이었소. 한 명의 노인과 두 명의 중년 사내. 중년 사내는 역형술(易形術)과 분장술로 얼굴을 변장했는데 대략 이십대 중후반의 청년일 거라고 짐작했소. 그중 한 명이, 바로 당신이 말한 장예추라는 인물이오."

조태수는 갈라질 대로 갈라져 피까지 흘러내리는 입술을 움직여 말을 이어 나갔다.

"그가 왜 갑자기 피독주를 회수하려 한 건지는 나도 모르오. 어쩌면 팔 수 없는 일이 생겼거나 또 어쩌면 피독주가 필요한 상황이 발생했는지도 모르오. 어쨌든 내가 아는 건 그게 전부요."

"고생하셨어요."

천소유는 고개를 끄덕였다. 그러고는 수하들을 돌아보며 지시를 내렸다.

"조 노야와 저 아가씨를 풀어 주고 그들을 태울 배를 준비해 주세요."

"알겠습니다."

수하들이 바쁘게 움직일 때였다.

한 마리 부엉이가 어두운 밤하늘을 가로질러 동정호 저편에서 소리 없이 날아들었다. 화선에 타고 있던 금해가 무사가 부엉이를 발견하고는 팔을 들었고, 부엉이는 익숙하게 그 팔뚝에 내려앉았다.

무사는 서둘러 부엉이의 다리에 묶여 있는 전통(傳筒)에서 쪽지를 꺼내 천소유에게 가져갔다.

마침 조태수에게 한마디 위로의 말을 하려던 천소유는 입을 다물고 쪽지를 읽어 내려갔다. 순식간에 그녀의 얼굴이 사색이 되었다.

"이런!"

그녀는 저도 모르게 크게 소리쳤다.

"역시 빈집털이였구나!"

주변의 무사들이 일제히 그녀를 돌아보았다. 천소유는 이를 악물며 주먹을 불끈 쥐었다. 그녀는 손톱이 손바닥을 파고드는 고통도 느끼지 못한 채 무사들을 향해 빠르게 지시를 내렸다.

"모두 회군하세요! 병력을 크게 둘로 나눠서 하나는 금해가로 향하게 해요. 그리고 다른 한 병력은 악양부 각 성문으로 돌려서 급하게 성문을 빠져나간 이들이 있는지 확인하고, 있으면 다시 병력을 모아 그 뒤를 좇도록 하세요."

갑작스러운 지시에 무사들이 머뭇거렸다. 한 부관이 조심스레 물었다.

"그럼 백귀도는 어찌합니까?"

천소유는 고운 이맛살을 찌푸리며 말했다.

"이미 텅 비어 있어요, 그곳은."

* * *

거대한 화선을 비롯한 선박들은 백귀도의 포위망을 풀고 일제히 뱃머리를 돌려 악양루로 향했다.

마음 급한 천소유는 화선을 버리고 쾌속선으로 갈아탔으며, 비월 중에서도 가장 무공이 뛰어난 비월십이사자(秘月十二使者)가 그림자처럼 그녀의 주위를 지켰다.

밤바람이 강하게 불어오는 가운데 천소유는 후회와 자책으로 물든 눈빛으로 멀리 악양루를 쏘아보고 있었다.

'내 실수다.'

그랬다. 실수였다.

분명 빈집털이를 생각하지 않은 건 아니었다. 심지어 그녀는 따로 사람들에게 일러 이곳 동정호에 나와 있던 금해가의 가신들을 다시 금해가로 돌려보내기도 했다.

하지만 그게 전부였다. 천소유는 그것만으로 충분히 대처했다고 생각했는데 그게 실수였다. 놈들이 얼마나 과감하고 날렵한지, 그리고 얼마나 고강한 무공을 지녔는지에 대해서 너무 안일하게 생각했던 것이다.

'내 방심으로 인해 세 개의 전각이 불타고 심지어 금해가주까지 살해당할 뻔했어.'

미리 생각하지 못했더라면 차라리 억울하지도 않았을 일이지만, 그럴 거라고 예상했기에 더욱 화가 나고 분을 참을 수가 없는 그녀였다.

'아무래도 너무 흥분하고 있는 모양이야.'

천소유는 길게 호흡을 가져가며 마음을 차분하게 가라앉히려고 노력했다.

양수아의 죽음 이후 확실히 그녀는 감정적으로 바뀌었다. 굳이 비선의 세작인 운화 조민에게 중상을 입히면서까지 조태수를 압박한 것 역시 지금 그녀가 얼마나 흥분했는지를 잘 보여 주는 대목이었다.

'예추를 상대하려면, 그리고 무림오적을 상대하려면…….'

천소유는 입술을 깨물었다.

'보다 냉정하고 침착해야 해.'

천소유가 그렇게 다시 마음을 다잡을 때, 그녀를 태운 쾌속선은 때마침 악양루 어귀에 당도했다.

2. 연막작전(煙幕作戰)

배에서 내린 태극천맹, 금해가 병력은 천소유의 지시에 따라 두 패로 갈려져서 한 무리는 곧장 금해가로, 다른 한 무리는 악양부 각 성문으로 흩어졌다.

천소유는 비월십이사자들과 더불어 금해가로 향했다. 그들이 금해가에 당도할 무렵에는 이미 대부분의 불길이 잡혀 가는 중이었다.

악양부 전체를 집어삼킬 것만 같았던 불길은 금해가 사람들은 물론이거니와 인근 마을 사람들과 관아의 관원들까지 합류하여 생각보다 훨씬 빠르게 진압했다.

천소유는 금해가 후문을 통해 안으로 들어섰다. 수많은 사람들이 아직 곳곳에 남아 있는 잔불들을 진화하고 있는 가운데, 새카맣게 재가 되어 무너져 내린 전각들의 흔적이 고스란히 남아 있었다.

천소유는 매캐한 연기를 헤치며 금해가 내당으로 향했다. 내당 입구에는 수십 명의 무사들이 살기 번들거리는 눈빛으로 사방을 경계하고 있었다.

천소유 일행이 다가서자 그들은 미처 그들의 신분을 파악하지 못한 듯 무기를 들어 가로막으며 험상궂은 표정을 지었다. 마침 그녀와 동행했던 금해가 가신이 아니었더라면 한동안 그들과 거친 실랑이를 할 뻔했다.

내당으로 들어서던 천소유의 발길이 그대로 멈췄다.

"아아…. …"

내당 중앙에 우뚝 서 있던 오층 누각이 송두리째 무너져 있었던 것이다.

금해가의 상징과도 같았던 거대한 건물의 붕괴.

주변 곳곳에 서 있는 사람들은 아직도 믿기지 않는다는 표정과 눈빛으로 그 처참한 잔해를 둘러보고 있었다.

"가주는 어디 계시나?"

금해가 가신이 서둘러 묻고는 답을 들은 후 다시 천소유에게로 빠르게 다가왔다.

"외당 영빈각(迎賓閣)에 계신답니다. 그곳으로 안내하겠습니다."

천소유와 일행들은 곧 가신의 안내에 따라 내당을 벗어나 남쪽 외당, 영빈각으로 향했다.

영빈각 대청에는 수십 명의 사람들이 모여 있었다. 비분강개하고 있는 이들, 분을 참느라 이를 악물고 있는 자들, 아직까지 놀라고 당황하여 어찌할 바를 몰라 하는 이들까지, 사람들은 저마다 다른 표정을 짓고 있었다.

천소유는 그들을 지나쳐 곧장 대청 정면으로 걸어갔다. 아직 그녀의 정체를 모르는 몇몇 금해가 사람들이 화들짝 놀라며 그녀의 앞을 가로막았다.

"괜찮네. 비선의 주인일세."

대청 정면에 놓인 의자에 앉아 있던 노인, 초일방이 손을 저으며 만류했다. 사람들은 눈을 휘둥그레 뜨며 그녀를 다시 바라보았다.

비록 태극감찰밀의 압도적인 성장과 세력 확장에 눌려 예전의 그 명성은 사라졌지만, 그래도 비선은 한때 태극천맹의 삼대 비밀 조직 중 하나였다.

그 비선의 주인이 이토록 가녀리고 연약해 보이는 여인이었다니, 확실히 쉽게 믿을 수가 없는 일이었다.

초일방 앞에 이른 천소유는 두 손을 마주잡으며 허리를 숙였다.

"비선의 천소유가 삼가 금해가주를 뵙습니다."

"인사는 됐네."

초일방은 말을 하다가 말고 쿨럭거리며 잔기침을 내뱉었다. 그의 옆에서 시중을 들던 아름다운 이십 대 여인이 황급히 약병 하나를 꺼내 들고 초일방에게 건넸다.

"됐다. 아직 괜찮다."

초일방은 고개를 저으며 부드러운 어조로 말했다. 아름다운 여인은 눈물을 글썽이며 말했다.

"아직 몸이 좋지도 않으시면서 이렇게 회의를 주관하실 것까지는 없잖아요?"

"허허, 그 정도 힘은 있구나."

천소유는 두 사람의 대화를 들으며 생각했다.

'저 여인이 금해가의 장중보주(掌中寶珠)라 알려진 운혜 아가씨인가 보구나.'

그러는 동안 금해가와 태극천맹의 중진들이 속속들이 장내로 들어섰다. 대부분 백귀도를 포위하고 있던 선박에 있던 자들이었으나 몇몇 노인들은 그렇지 않았다.

뒤늦게 대청으로 들어선 노인들을 본 금해가 가신들이 눈살을 찌푸리며 소리쳤다.

"아니, 여태 어디 있다가 이제들 오시는 겁니까?"

"설마 놈들이 무섭고 두려워서 숨어 있었던 건 아니겠죠?"

운룡신창과 홍염철검은 인상을 찌푸렸다. 운룡신창이 그들에게 한마디 하려는 찰나, 홍염철검이 운룡신창을 말리며 입을 열었다.

"잠시 금해가 밖에 있다가 불이 난 걸 보고 막 달려온 참이오."

그러자 좌중 중 한 명이 소리쳤다.

"하지만 그 누구도 두 어르신이 출타한 사실을 전혀 모르고 있었습니다!"

"미안하오. 워낙 급하게 나서느라 미처 아무에게도 말하지 못했소."

홍염철검의 말에 사람들이 웅성거렸다. 대부분 그의 말을 믿지 못하겠다는 목소리였다.

운룡신창이 눈살을 찌푸리며 격정적으로 소리쳤다.

"우리 행사가 그리 마음에 들지 않는다면 떠나면 그만이 아니오? 이렇게 의심을 받고 모욕을 당할 우리가 아니오. 갑시다, 마 형!"

"허허, 그만들 합시다."

초일방이 낮은 목소리로 웃으며 말했다. 삽시간에 대청은 조용해졌다. 초일방은 운룡신창과 홍염철검을 바라보며 말을 이었다.

"어서들 와서 앉으시구려. 마침 원로회의 다른 분들도 계시니 말이오."

병색이 완연한 낯빛에다가 힘들게 말을 맺는 초일방을 보고는 차마 더 이상 화를 낼 수가 없었는지 운룡신창이 헛기침을 하며 두 손을 모았다.

"아무 도움이 되지 못해서 죄송할 따름입니다."

"허허허. 괜찮소."

초일방의 말에 두 노인은 원로회 노인들이 모여 있는 자리로 가서 앉았다. 백귀도의 포위망을 풀고 서둘러 돌아온 사해유협 추화룡 등의 노인들은 서로 눈짓을 하며 인사를 나눴다.

장내가 얼추 정리되자 천소유는 나지막한 목소리로 이야기를 꺼냈다.

"몇 가지 확인된 사실이 있어서 말씀드리겠어요."

초일방은 물론 대청에 모인 사람들의 시선이 모두 그녀에게로 향했다. 그녀는 초일방을 바라보며 말을 이어 나갔다.

"하지만 듣는 이가 적으면 적을수록 좋을 것 같군요."

일순 다시 한번 사람들이 웅성거렸다.

지금 이 자리에 모인 수십 명의 사람들은 모두 금해가와 태극천맹의 중진들이었다. 대청에는 금해가 가신들과 태극천맹의 지부주와 부지부주들, 그리고 원로회의 노인들과 호광성부전주까지 모여 앉아 있었다.

그런데 천소유는 그들 대부분을 배제하고자 하는 것이다.

초일방은 잠시 천소유를 바라보다가 고개를 끄덕이며 말했다.

"금해가 사람들은 따로 보고할 이야기가 있는 자 이외에는 모두 퇴청하시게."

금해가의 가신과 숙객, 주요 수뇌진들은 서로를 돌아보며 머뭇거리다가 한두 명씩 자리에서 일어났다. 이내 대부분의 금해가 사람들이 자리에서 일어나 대청을 빠져나갔다.

하지만 금해가 총수인 천호대군 같은 자들 몇몇은 끝까지 남아서 자리를 지켰다.

태극천맹 지부 사람들도 눈치 빠르게 자리에서 빠져나

갔다. 호광성부전주도 자리를 떴고, 원로회 노인들 역시 그들의 대표격인 사해유협 추화룡 등 한두 명만 남긴 채 대청을 빠져나갔다.

그렇게 약간의 소란을 거치고 대청에 남은 이들은 모두 열 명도 되지 않았다.

천소유는 잠시 좌중을 둘러보다가 가볍게 눈살을 찌푸렸다. 명성 자자한 고수들 사이에 낯선 청년 하나가 떡하니 자리를 차지하고 있었던 것이다.

'누구지?'

천소유는 잠시 생각하다가 다시 초일방을 돌아보며 입을 열었다.

"먼저 화선의 경매 건에 대해서 이야기하겠어요. 우선 조태수에게 경매를 의뢰한 자들은 무림오적이 확실해요. 그중 한 명인 무림엽사(武林獵師) 장예추를 그곳에서 직접 만났으니까요."

사람들이 웅성거렸다.

무림엽사라면 수년 전 한때 강호를 들썩거렸던 젊은 신진강호(新進强豪)의 별호였고, 아직도 그 별호를 기억하는 자들이 제법 있었던 까닭이었다.

천소유는 사람들의 웅성거림에 신경 쓰지 않은 채, 조태수를 통해 들은 이야기를 토대로 자기 생각까지 더해서 이야기를 이어 나갔다.

좌중은 웅성거림을 멈추고 심각한 표정으로 그녀의 이야기에 귀를 기울였다.

"한 가지 아직도 이해가 가지 않는 건, 장예추가 경매에 올린 피독주를 자신이 직접 구매한 이유예요. 그것만 알게 되면 이곳 악양부에서 그들이 무슨 일을 저지르고자 했는지 대략적으로 파악할 수 있을 것 같아요."

천소유는 고개를 갸웃거리며 말을 맺었다. 그때였다.

"아!"

좌중 중 누군가가 탄성을 내질렀다. 사람들의 시선이 그곳으로 쏠렸다. 천소유도 몸을 돌려 소리가 난 방향으로 시선을 돌렸다.

저도 모르게 탄성을 흘린 이는 다름 아닌 천호대군이었다.

그는 천소유의 이야기를 들으면서 뭔가 생각난 바가 있다는 듯한 표정을 지으며 입을 열었다.

"미처 보고가 늦었습니다만 황계의 안가에서 세 사람의 흔적을 발견했었습니다."

천호대군은 안가의 지하 석실에서 찾아낸 천수불타 왕윤과 구미호의 시신, 그리고 그 두 구의 시신 사이에 누군가 쓰러져 있던 흔적에 관해서 이야기했다.

"아마도 그자는 구미호와 대치한 가운데 천수불타 왕윤의 암습을 받은 모양입니다. 왕윤은 그자의 반격에 목숨을 잃었고, 쓰러진 자는 동료에 의해 밖으로 끌려 나간 것 같습니다. 그의 생사는 전혀 확인할 수 없었습니다."

천호대군의 보고는 거기에서 끝났다. 대청의 모든 이들이 심각한 표정을 짓고 있을 때, 단 한 명 오직 초운혜의 눈빛만이 파르르 떨리고 있었다.

'실패했구나.'

그녀는 본능적으로 그렇게 생각했다.

애당초 왕윤은 그녀의 사주를 받고 화군악을 암살하려 했다. 그러니 안가의 지하 석실에 쓰러져 있던 자는 화군악일 게 분명했다. 하지만 결국 그 자리에 남은 건 왕윤의 시신뿐이었다.

'바보같이, 그 개자식 하나 제대로 해치우지 못하면서 무슨 전설적인 살수라고…….'

초운혜가 입술을 깨문 채 그런 생각을 하고 있을 때, 사해유협 추화룡이 고개를 갸웃거리며 입을 열었다.

"왕윤이라면…… 혹시 탈명배수 왕윤이 아니오? 한때 천하제일 살수로 이름을 날렸던……."

천호대군은 흠칫했으나 이내 웃으며 고개를 저었다.

"아닙니다. 그는 그저 숙객의 한자리에도 오르지 못한 평범한 인물로……."

"아니, 추 노사(老師)의 말씀이 맞네."

초일방이 천호대군의 말을 잘랐다. 천호대군은 놀란 눈

으로 초일방을 쳐다보았다. 초일방은 쇳소리가 새어 나오는 목소리로 말을 이었다.

"확실히 그는 과거 탈명배수라는 별호로 불렸던 살수였다네. 금분세수(金盆洗手)하고 강호를 떠나 무명의 인물로 본 가에 의탁한 처지이기는 하지만, 그래도 과거에는 독과 암기를 사용하여 모든 의뢰를 완벽하게 수행했던 거물이었다네."

"아…… 미처 모르고 있었습니다."

천호대군이 살짝 부끄러운 표정을 지었다. 그때였다.

"그렇군요!"

천소유가 손뼉을 치며 입을 열었다.

"이제야 모든 게 맞아떨어지네요. 장예추, 그자는 왕윤의 독에 중독된 동료를 구하기 위해서 필사적으로 피독주를 챙기려 했던 거예요."

그녀는 눈빛을 반짝이며 빠른 어조로 말했다.

"그리고 화선에서 탈출하여 백귀도로 향했던 그와 그 일당이 되돌아와 금해가에 불을 지른 건, 우리의 이목을 이곳으로 쏠리게 하려는 성동격서의 계책이었던 거고요. 우리의 병력과 경계망이 이곳으로 쏠리는 동안 그들은 따로 패를 갈라서 그 중독된 자를 데리러 갔을 겁니다."

그때였다.

대청 문이 왈칵 열리고 총관이 뛰어 들어왔다. 천소유

는 입을 다물었고 사람들은 그를 돌아보았다. 단걸음에 대청을 가로질러 초일방 앞에 선 총관은 다급한 어조로 보고했다.

"대략 한 시진 전 즈음, 수상한 자들이 마차를 타고 북문을 빠져나갔다고 합니다. 현재 본 가 밖에 나가 있는 모든 병력이 북문 앞으로 집결 중입니다."

사람들의 얼굴이 딱딱하게 굳어졌다.

한 시진 전이라면, 이곳 금해가에 화재가 발생하고 나서 얼마 지나지 않을 때였다.

그렇다면 천소유의 추측대로 놈들이 금해가에 쳐들어와 불을 지피고 금해가주를 살해할 뻔했던 그 모든 행각은 그저 동료의 구출을 위한 연막작전(煙幕作戰)에 불과했던 것이다.

겨우 그런 일로 금해가를 이용하다니.

사람들 마음속에 스며든 수치와 모욕과 굴욕감은 곧바로 분노와 증오심으로 바뀌면서 이내 걷잡을 수 없이 활활 타오르기 시작했다.

3. 그럼 제가 물러날까요?

'역시 대단한 친구들이라니까.'

연륜 깊고 명망 높은 무림 명숙들만이 모인 대청 자리에서 유일한 이십 대 청년, 장백두는 속으로 웃음을 터뜨리며 생각했다.

'성동격서라니, 그야말로 천하의 금해가를 갖고 논 거다. 애당초 금해가주는 그들의 목적이 아니었던 거지. 불을 지르러 들어왔다가 우연히 마주쳐서 죽이려 했을 뿐이야.'

그는 통쾌해서 어쩔 줄 몰라 하는 표정을 지었다.

'하하하! 그 담대한 배포와 두둑한 배짱과 뛰어난 무위, 그리고 거기에 기막힌 계책까지 겸비했으니…… 반드시 그들을 내 휘하에 두어야 한다. 나의 군림천하는 그들과 함께해야만 비로소 이뤄질 것이다.'

어쩌면 그들에게 잡아먹힐지도 몰랐다. 어쩌면 그들에 의해 자신의 원대한 야망이 이뤄지지 않을 수도 있었다.

하지만 그는 자신만만했다.

비록 무위는 그들에 비해 떨어질지 몰라도 자신에게는 천하를 아우르는 흉금(胸襟)이 있었다.

모든 걸 집어삼키고 자신의 것으로 만들 그릇이 되었다. 적을 동료로 삼을 줄 아는 배포와 자신보다 뛰어난 능력을 지닌 자를 수하로 거둘 수 있는 넉넉함이 있었다.

적어도 장백두는 그렇게 생각했다.

'그렇다면 이참에 그들에게 은혜를 베풀어 둬야겠군.

가만있자, 해독에 뛰어난 약이 뭐가 있었더라?'

장백두가 그런 생각에 골몰해 있을 때, 천소유는 다시 초일방을 향해 의견을 제시하고 있었다.

"금해가 내의 모든 병력을 동원하여 그들의 뒤를 쫓아야 해요. 만약 이번에 놓치게 되면 언제 다시 그들과 마주칠지 모르니까요."

"그건 아니라고 봐요."

초운혜가 발끈하듯 나섰다.

"할아버님은 안정을 취하셔야 해요. 또한 화재로 인한 피해를 복구하는 게 먼저죠. 게다가 모든 병력이 밖으로 나갔을 때 그자들이 다시 쳐들어온다면 그때는 누가 막을 건가요? 그러니 금해가의 모든 고수들과 태극천맹의 고수들은 이곳에 남아 경계를 취해야 해요. 물론 그 외의 병력이라면 얼마든지 동원해도 상관없지만 말이에요."

천소유는 가만히 초운혜를 바라보다가 천천히 입을 열었다.

"어른들 말씀에 함부로 끼어드는 게 아니랍니다, 아가씨."

일순 초운혜의 얼굴이 붉게 달아올랐다.

연상이라고 해 봤자 열 살도 채 차이가 나지 않을 듯했다. 그런데도 어른들 운운하며 초운혜를 어린아이 취급하는 것이다. 빈정이 상하는 게 당연했다.

그러나 초일방의 생각은 그녀와 달랐다.

"천 선주 말이 맞다, 운혜야."

초일방은 부드럽고 다정한 목소리로 말했다.

"걱정은 잠시 접어 두고 가서 쉬고 있어라. 장 소협."

다른 생각에 잠겨 있던 장백두가 움찔거리며 자리에서 일어났다.

"운혜를 제 방으로 데려다주고 오게나."

"알겠습니다."

장백두가 허리를 숙였다.

"할아버님!"

초운혜가 항변하듯 소리쳤지만 소용없었다. 장백두가 성큼성큼 걸어와 초운혜를 향해 부드럽지만 강한 압박이 실린 목소리로 말했다.

"같이 갑시다."

초운혜는 입술을 잘강잘강 씹다가 천소유를 한 차례 노려보고는 곧바로 대청을 빠져나갔다.

장백두는 곧바로 그녀를 따라잡지 않았다. 대신 천소유의 눈을 똑바로 바라보며 정중하게 말했다.

"그럼 다음에 정식으로 인사드리겠습니다, 천 선주."

천소유가 고개를 까닥였다. 장백두는 싱긋 웃음을 짓고는 뒤늦게 초운혜를 따라 대청을 빠져나갔다.

"미안하네. 아직 어려서 그러니 이해하시게."

초일방은 천소유에게 사과했다. 천소유가 배시시 미소를 지으며 고개를 저었다.

"아니에요. 좋은 손녀를 두셨네요."

"허허. 그럼 다시 본론으로 들어가지. 이미 한 시진 이상이나 차이가 벌어졌는데 과연 그들을 뒤쫓을 수 있을 거라고 생각하시는가?"

"물론이죠."

천소유는 대청을 돌아보며 말했다.

"우리에게는 능운추풍 소 노태사와 신안천리 연 노태사가 계시니까요. 그자들이 천 리 밖까지 도망쳤다 할지라도 그들 두 분이라면 절대 놓치지 않을 거예요."

그녀의 말이 사실이라는 듯, 사해유협 곁에 앉아 있던 두 명의 노인이 고개를 끄덕였다. 바로 능운추풍과 신안천리 두 노기인이었다.

초일방은 잠시 생각하다가 고개를 끄덕이며 말했다.

"그렇게 하시게. 천 선주에게 전권을 줄 터이니, 반드시 놈들을 잡아 와야 하네."

"감사합니다."

천소유는 다시 대청의 사람들을 돌아보며 말을 이었다.

"일반 무사들은 굳이 차출할 필요가 없어요. 그들은 이곳에 남아서 화재를 진압하고 사후 처리를 하라고 하세요. 무림오적을 뒤쫓는 데 필요한 인원은 최소한 절정에 이른 고수들로만 구성할 테니까요."

그녀는 이미 생각해 둔 바가 있다는 듯이 거침없이 말을 이어 나갔다.

"우선 금해가에서는 천격의 가신 열 명을 동원해 주세요. 그래도 스무 명 정도는 남아서 이곳을 지킬 수 있겠죠. 숙객들도 많이는 필요 없어요. 십팔숙객이면 충분해요. 아, 천호대군께서도 수하들 중 가장 뛰어난 다섯 명 정도를 골라 주세요. 금해가에서 차출할 인원은 그 정도가 되겠네요."

그녀의 뒤에서 묵묵히 듣고 있던 초일방의 눈빛이 희미하게 반짝였다.

천소유는 놀랍게도 금해가의 전력이 어느 정도인지 낱낱이 알고 있었다. 천격의 가신이 몇이나 되는지, 절정에 이른 고수의 수가 얼마나 되는지, 그녀는 마치 제 집의 숟가락 숫자처럼 정확하게 파악하고 있었다.

그게 비선의 힘인지, 아니면 건곤가의 능력인지는 알 수는 없었지만 당연히 초일방은 적잖이 께름칙한 기분이 들 수밖에 없었다.

'그동안 내가 너무 편안하게 지낸 모양이로구나.'

초일방은 마른 입술을 핥으며 생각했다.

'적이 꼭 앞에만 있는 게 아니라는 걸 잊지 않아야겠다.'

천소유는 계속해서 지시를 내리고 있었다.

"태극천맹의 지부주와 호광성의 단주들도 차출하죠. 부전주께서는 싸움과 그리 친하지 않으시니까 이곳에서 편히 휴식을 취하라고 하고, 대신 원로회 어르신들은 다들 수고해 주셔야겠어요. 아, 그리고 보니 멸절사태께서도 안 보이시네요?"

홍염철검이 나지막한 소리로 대답했다.

"목 형을 간호하고 있소이다."

천소유는 거침없이 말했다.

"가서 전해 주세요. 태극천맹과 원로회와 금해가의 이름으로 명령하니 반드시 동참하시라고 말이에요."

홍염철검과 운룡신창의 새하얀 눈썹이 꿈틀거렸다. 못마땅하다는 기색이 그들의 얼굴 위로 스며들었다. 운룡신창이 팔짱을 끼며 말했다.

"닭 잡는 데 소 잡는 칼을 쓰려 하는 것은 아닌지 모르겠소?"

천소유는 옅은 미소를 흘리며 말했다.

"솔직한 마음으로는 무정검왕까지 깨워서 합류시키고 싶거든요."

운룡신창의 눈살이 찌푸려졌다. 천소유는 계속해서 말을 이었다.

"무림오적은 닭이 아니에요. 그건 지금껏 그들과 부딪

쳐 온 여러 어르신들이 더 잘 알고 계시잖아요? 그깟 자존심을 내세워 저들을 과소평가하지 마세요. 그들 개개인의 무위는 무정검왕보다 더 강하다고 생각하셔야 해요."

운룡신창은 물론, 대청에 모여 있던 이들의 얼굴이 딱딱해졌다.

지금 천소유는 곧 이곳에 있는 그 누구도 무림오적이라는 자들과 일대일로 붙어 이길 수 없다고 말하고 있었다. 백전노장의 체면과 자존심에 생채기가 날 수밖에 없었다.

그러나 천소유는 그들의 체면과 자존심을 전혀 생각해 주지 않았다.

"아마도 그들을 끝까지 뒤쫓는 정예 부대는 오십 명은 넘고 백 명은 되지 않을 거예요. 불안하지만 우선은 그 병력으로 시작하자고요. 부족한 인원은 천맹에 연락하여 차출할 테니까요."

대청에 모인 사람들은 입술을 깨물었다. 천소유는 사람들을 돌아보며 물었다.

"혹시 질문하실 거라도?"

운룡신창이 입을 열었다.

"조금 전 천 선주께서는 무림오적의 뒤를 쫓을 정예 부대의 무위가 최소한 절정고수여야 한다고 했소이다만, 과연 천 선주의 무위가 그 정도가 될지 의문이오."

천소유는 웃으며 말했다.

"그럼 제가 물러날까요? 저를 대신해서 금해가와 태극천맹과 원로회의 노기인들을 지휘하실 분이 계시다면 얼마든지 물러나겠어요."

운룡신창은 옆자리의 홍염철검을 돌아보았다. 홍염철검은 지그시 눈을 감은 채 아무 말도 하지 않았다. 다른 이들도 마찬가지였다. 사해유협 추화룡이든, 천호대군이든 누구 하나 입을 열고 나서지 않았다.

하기야 서로 그 결이 다른 세 조직의 절정 고수들을 한데 조화롭게 묶어서 서로 반목하지 않도록 지휘하고 지시를 내릴 만한 이가 과연 얼마나 될까. 그 귀찮고 힘들고 어려운 일을 굳이 나서서 하려는 자가 또 누가 있을까.

운룡신창은 끄응, 하며 입을 다물었다.

천소유는 잠시 사람들을 둘러보다가 한 차례 고개를 끄덕인 후 입을 열었다.

"그럼 제가 계속해서 그 어렵고 힘든 일을 맡기로 하죠. 일각 후에 제가 말씀드린 분들은 모두 북문 입구로 와 주셔야 해요. 그곳에서 먼저 그자들을 추격하고 있는 이들과 합류해야 하니까요."

천소유의 말이 끝났다.

사람들은 슬쩍 초일방의 눈치를 살폈다.

초일방이 천천히 고개를 끄덕이자 대청에 모인 사람들이 움직이기 시작했다. 천호대군을 비롯한 금해가 사람들이 먼저 자리를 떴고, 뒤이어 원로회의 노기인들이 초일방에게 안부의 인사를 남기고 대청을 벗어났다.

순식간에 대청이 텅 비워졌다. 천소유는 가볍게 한숨을 내쉬고는 초일방을 돌아보며 고개를 숙였다.

"죄송합니다. 오늘의 무례에 대한 벌은 무림오적을 잡은 후에 달게 받겠습니다."

초일방은 가늘게 뜬 눈으로 그녀를 쳐다보다가 인자한 미소를 지으며 말했다.

"고생하시게."

"감사합니다."

천소유는 다시 한번 인사를 한 후 그대로 대청을 빠져나갔다.

6장.

인연(因緣) 혹은 악연(惡緣)

볼품없는 체구에다가 볼품없이 행동하고 있는 광견이었지만,
그는 그저 코를 몇 번 킁킁거리고 지면을 샅샅이 훑는 것만으로
이 관도에서 벌어졌던 일들을 정확하게 알아내고 있었다.

인연(因緣) 혹은 악연(惡緣)

1. 광견(狂犬)

"역병이라고 했습니다. 확인까지 했습니다."

사 포두는 살짝 겁을 먹은 듯한 표정으로 말했다.

"마차 안에는 두 명의 환자가 있었는데, 분명 살아 있음에도 불구하고 시체 썩는 내가 진동했습니다. 마냥 붙잡고 있다가 자칫 성내에 역병이 창궐할지도 모른다는 생각에 얼른 문을 열고 내보냈습니다."

사 포두의 면전에는 한 명의 여인과 대여섯 명의 노인들이 서 있었는데, 하나같이 눈빛이 형형하고 고아(高雅)하고 품격 넘치는 모습들이 마치 신선과도 같아 보였다.

"나무라는 게 아니에요. 그저 몇 가지 확인하고 싶은

게 있기 때문에 여쭤보는 거랍니다."

이십 대 후반, 혹은 삼십 대 초반으로 보이는 아름다운 여인이 부드러운 어조로 달래듯 말했다.

"그들 인원이 총 몇이나 되었죠?"

사 포두는 얼른 머리를 굴렸다.

"우선 아주 아름답고 가녀린 여인이 마차를 몰고 있었습니다. 마차 안에는 두 명의 노인과 소년 소녀가 있었고, 환자 두 명이 누워 있었습니다."

'두 명의 노인이라…….'

여인, 천소유의 눈빛이 반짝였다.

'금해가를 침범하여 건물에 불을 붙이고 사라진 자들이 최소한 셋이었지. 밤하늘을 가르는 치맛자락을 보았다는 보고도 있었으니 어쩌면 넷일 수도 있겠고.'

거기에 마차의 인원까지 포함하면 적은 모두 열 명에서 열한 명이라는 이야기가 된다. 천소유가 예측했던, 그리고 떠올렸던 자들에 비하면 확실히 사람이 더 늘었다.

'어쩌면 백귀도에서 누군가 합류한 것인지도.'

천소유는 엊그제 밤 객잔에서 식사하다가 마주쳤던 일가(一家)를 기억하며 그렇게 생각했다.

두 명의 노인과 두 명의 여인, 그리고 두 명의 사내와 한 명의 소년.

당시에는 몰랐지만 지금은 알 수 있었다. 화선에서 그

들을 만나고 또 그들이 비월을 상대로 싸우는 모습을 지켜본 이상 모를 수가 없었다.

바로 그들이 장예추의 동료, 무림오적이었다.

거기에 황계 안가에서 쓰러졌다는 자와 그를 구한 자까지 합친다면, 어린 꼬마는 제외한다 치더라도 무림오적은 다섯이 아니라 최소한 여덟 명이 되는 셈이다.

역시 예상했던 대로 무림오적은 다섯 명의 절대고수를 앞세운 하나의 조직임이 분명했다.

'하지만 지금 이 포두의 증언에 따르자면 모두 열한 명이 되는 셈인데……. 그렇다면 병든 노인과 소녀가 새로 합류하게 되었다는 뜻이겠지?'

천소유는 갑작스레 등장한 병든 노인과 소녀의 정체에 대해서 궁금해졌다.

백귀도에 어떤 인물이 숨어 살고 있었던 것일까.

그녀는 나지막한 소리로 중얼거렸다.

"확인해 주세요. 백귀도에 누가 살고 있었는지."

동시에, 그녀의 좌우에 서 있던 노인들이 움찔거리며 뒤를 돌아보았다. 그녀가 이야기하자마자 자신들의 등 뒤에서 전혀 눈치채지 못했던 낯선 기척이 갑자기 꿈틀거리며 나타났다가 사라졌기 때문이었다.

노인들 중 한 명, 강호에서는 사해유협이라는 별호로 유명한 전대의 노기인이 천소유를 돌아보며 물었다.

"비월의 십이사자이오?"

천소유는 가만히 고개를 끄덕였다. 사해유협은 길게 한숨을 내쉬며 희미하게 중얼거렸다.

"이제 슬슬 은퇴해야 할 때가 된 겐가."

천소유는 미처 그의 중얼거림을 듣지 못한 듯, 사 포두를 향해 다시 질문을 던졌다.

"따로 어디로 간다든가 하는 말은 없었나요?"

사 포두는 기억을 더듬다가 고개를 흔들었다.

"그저 왕 의생의 지시에 따라서 최대한 빨리 다른 지역으로 가겠다고 했을 뿐입니다."

"왕 의생?"

"네. 그들이 온 동네에서 가장 용하다는 의생이라고 했습니다."

천소유는 다시 중얼거렸다.

"왕 의생이라는 자가 있는지 확인해 보세요."

또다시 노인들이 움찔거렸다. 그들의 표정이 살짝 일그러졌다.

방심하고 있던 등 뒤에서 갑자기 불쑥 기척이 나타났다가 사라지는 건 영 불쾌한 기분이 아닐 수가 없었다.

"또 다른, 아무것이나 좋으니 내게 이야기해 주실 게 없을까요?"

사 포두는 천소유의 질문에 한참 동안 머리를 굴리다가

결국 고개를 저으며 낮은 목소리로 말했다.

"죄송합니다."

"고마워요."

천소유는 빙긋 미소를 짓고는 노인들 중 한 명을 돌아보며 물었다.

"먼저 움직인 추격대 측에서는 아무런 연락이 없었나요?"

가뭄에 삐쩍 말라 죽은 고목처럼 보이는, 뼈가 앙상하게 드러날 정도로 메마른 노승(老僧)이 염주를 굴리며 대답했다.

"아직 소식은 없소이다."

사해유협을 비롯한 다른 노인들은 그를 경원하듯 조금 거리를 두고 떨어져 있었는데, 노승이 입을 열고 말하자 저도 모르게 진저리를 치며 한 걸음 뒤로 물러났다.

하지만 천소유는 태연한 얼굴로 다시 물었다.

"어느 분이 추격대의 선봉을 맡으셨다고 하셨죠?"

노승, 고목대사(古木大師)가 입을 열었다. 이번에도 다른 노인들이 질색하며 뒤로 물러섰다.

"광견(狂犬)이 달라붙었으니 안심해도 좋을 것이오."

"그런가요? 그럼 그 광견이라는 분이 있는 곳으로 가죠."

"안내하겠소."

금해가에서 몸을 의탁하고 기거하고 있는 모든 숙객들이 추앙하고 스스로 인정한, 십팔숙객의 우두머리인 고목대사는 오로지 절정에 이른 내공을 지닌 자들만이 들을 수 있는 쇠 긁는 목소리로 이야기하면서 앞으로 걸어나갔다.

천소유가 태연한 표정을 지은 채 그 뒤를 따르는 가운데, 다섯 명의 노인들은 저마다 이맛살을 찌푸린 채 약간의 거리를 두고 움직였다.

그리고 그 뒤로 수십 명의 고수들이 아무런 소리도 없이 바람처럼 움직이며 쪽문을 통과하여 성내를 빠져나갔다.

사 포두는 식은땀을 훔치며 포졸들에게 소리쳤다.

"뭐, 뭣들 하느냐? 제, 제자리로 돌아가지 않고!"

떨리는 목소리가 새벽바람을 타고 사방으로 흩어졌다.

* * *

광견은 지금 연신 코를 킁킁거리고 사방을 훑어보는 오척단구(五尺短軀)의 노인을 지칭하는 별명이었다.

노인의 또 다른 별명은 일교부송(一咬不松)으로, 한번 물면 절대 놓치지 않는다는 의미의 별호였다.

하지만 노인을 아는 자들은 모두 다 그를 광견이라 불렀고 노인 또한 일교부송이라는 애매한 단어보다는, 광견이라는 보다 더 명확하고 직관적인 별명을 마음에 들어 했다.

새벽녘이라고는 하지만 아직 날이 밝으려면 이른 시각, 사방은 여전히 어두운 가운데 광견은 천천히, 신중하게 관도를 따라 움직이고 있었다. 그 뒤로 수십 명의 무인들이 오직 광견의 움직임에 모든 신경을 집중했다.

하지만 광견이 어떤 인물인지 모르는 태극천맹의 고수 몇몇은 그 신중한 움직임이 전혀 마음에 들지 않는 듯했다.

그들은 추격대 후미에서도 조금 멀리 떨어진 채, 광견이 코를 킁킁거리며 사방을 두리번거리는 모습을 지켜보면서 비웃고 조롱했다.

"광견이라더니, 진짜 한 마리 개 같은 늙은이로구먼."

"자네는 들어 봤나, 광견이라는 별호를?"

"아니, 생전 처음 들어 보네. 악양부에서 꽤 오래 있었지만 금해가 숙객 중에 저런 인물이 있다는 소리도 듣지 못했네."

"뭐, 십팔숙객이니 백팔숙객이니 하면서 치켜세워 주기는 하지만 결국 보자면 무림 낭인들일 뿐이니까. 소속도, 명분도, 목적도 없이 그저 하루하루 살아가는 쓰레기들에 가깝지."

"나도 왜 금해가주께서 그들을 높이 평가하는지 모르겠네. 나름대로 백팔숙객 서열 상위권에 있다는 저 개천

거부나 불패도 같은 자들도 아무리 잘 봐줘야 겨우 이류(二流)를 벗어난 인물들이 아닌가?"

"뭐, 지켜보자고. 그래도 숙객들 중에서 추격과 추적이라면 최고의 인물이라고 추천받은 자니까 말이지."

"하필이면 저자가 추격대 선봉을 맡다니. 차라리 진짜 사냥개들을 끌고 다니는 게 훨씬 더 빠를지도 몰라."

"하하하, 그게 낫겠군."

태극천맹의 고수들은 낮은 목소리로 이야기하고 웃었다. 그들 앞에서 걷던 금해가 고수들과 숙객들은 짐짓 그들의 대화를 듣지 못한 척, 오로지 광견의 움직임에 집중하고 있었다.

그때였다.

광견이 갑자기 걸음을 멈추고 더욱 크게 코를 킁킁거리다가 한 차례 고개를 끄덕이며 말했다.

"다른 자들의 냄새가 있소."

"다른 자들?"

이 추격대의 수좌 역할을 맡은 능운추풍 소제담이 눈을 크게 뜨며 불퉁스레 물었다.

능운추풍은 사해유협 등과 더불어 태극천맹에서 파견된 원로회의 인물이었고, 그 또한 경공술과 추격에 관해서라면 절대 누구에게도 뒤지지 않는다고 자부하던 자였다.

그런 자부심 때문이었을까.

능운추풍의 눈에는 광견의 모든 움직임이, 심지어 그 생김새조차 마음에 들지 않았다. 그의 말투가 딱딱하고 불퉁한 까닭은 바로 그러한 연유에서였다.

하지만 광견은 전혀 개의치 않고 대꾸했다.

"마차를 멈춰 세운 건 다섯 개의 다른 냄새들이오. 그들 때문에 마차에서 사람들이 내렸고…… 음? 뒤늦게 따로 합류한 자들이 있나 보구려. 냄새와 흔적이 더 늘었소이다."

광견은 지면에 코를 박듯 엎드린 채 연신 킁킁거리면서 입을 열었다.

"킁, 킁. 계집 냄새도 나오. 지분에 섞인 아랫도리 냄새가 아주 끈적하고 달콤하오. 성숙할 대로 성숙한 냄새요. 그 냄새로 짐작하건대 최소한 삼십 대 그 이상의, 요분질 꽤 할 것 같은 계집으로 추측되오."

"허어."

능운추풍은 기가 막히다는 표정을 지었다. 감탄하거나 탄복하는 얼굴이 아닌, 말도 안 되는 헛소리를 함부로 지어낸다는 식의 얼굴이었다.

그러거나 말거나 광견은 쉬지 않고 입을 놀렸다.

"사내들 세 명도 합류했소. 킁, 킁, 킁. 아아, 불 냄새와 화약 냄새가 나는 걸로 보아 이자들이 바로 금해가에 불을 지른 자들 같소."

놀라운 일이었다. 쉽게 믿을 수 없는 일이었다.

볼품없는 체구에다가 볼품없이 행동하고 있는 광견이었지만, 그는 그저 코를 몇 번 킁킁거리고 지면을 샅샅이 훑는 것만으로 이 관도에서 벌어졌던 일들을 정확하게 알아내고 있었다.

2. 지금 나는 아주 죽을 맛이오

광견은 다른 지역에서 수색을 하다가 급한 지시를 받고 이곳 북문 쪽으로 달려왔기에, 미처 사 포두의 이야기를 전해 듣지 못했다.

하지만 그는 오로지 코와 눈과 귀만으로 사 포두의 이야기는 물론 심지어 사 포두가 모르는, 이곳에서 은밀하게 벌어졌던 상황까지 모두 꿰뚫어 보았다.

"발자국은 보이지 않소. 기척도 거의 없는 걸 보면 이 세 명의 사내는 이미 절정에 이른 고수들이 아닌가 싶구려. 확실히 다른 자들의 기척과 다르오."

광견은 계속해서 말을 이어 나갔다.

"시체 썩는 내가 진동하는 걸 보니 아마도 극독에 중독된 자가 있었나 보오. 약 냄새도 나오. 으음, 아무래도 마차 안에는 두 명의 병자가 있었던 것 같소."

광견은 지독한 냄새에 코가 썩어 문드러지겠다는 표정을 지으며 고개를 설레설레 흔들었다. 주변 무인들은 저도 모르게 뒷걸음치면서도 혹시나 하는 마음으로 코를 킁킁거렸지만 여전히 아무런 냄새도 맡을 수가 없었다.

"거기에다가 소년도 한 명 있고, 계집도 하나 있었소."

광견은 콧잔등을 찌푸린 채 말했다.

"체취에 피 냄새가 묻어나지 않는 걸로 보아 아직 월경을 겪지 않은 어린 계집 같소이다."

정파의 무림 고수들은 광견의 정제되지 않은 말의 표현에 눈살을 찌푸리고 비난의 눈빛으로 그를 바라보았다. 광견은 늘 그런 표정과 시선을 받아 왔던지라 전혀 아랑곳하지 않은 채 계속해서 말했다.

"거기에 또 다른 노인들 둘까지 합치면…… 음, 모두 열한 명이구려. 마차를 가로막고 서 있던 다섯 명은 그들과 일행이 아닌 모양이오. 희미하게 찍힌 발자국과 아직 남아 있는 체취를 종합해 보건대 상당히 긴장한 기색이 역력하니까 말이외다."

"헛소리."

듣다 못한 태극천맹의 고수가 비난하는 말을 내뱉었다.

"보지도 듣지도 못한 상황에서 그저 냄새만으로 그 모

든 걸 알아낸다는 게 과연 상식적으로 말이 되는 소리요? 게다가 냄새라니, 아무리 코를 킁킁거려 봐도 지분 냄새니 시체 썩는 내니 하는 건 전혀 느껴지지 않소."

"개 후각이 사람보다 얼마나 뛰어난지 아시오?"

광견이 불쑥 묻자 태극천맹의 고수는 움찔거리며 되물었다.

"그걸 내가 어찌 알겠소?"

"최소 만 배에서 일억 배 이상 뛰어나오."

광견은 투명한 콧물로 축축하게 젖은 콧구멍을 벌름거리며 씨익 웃었다.

"그리고 나는 선천적으로 그런 개의 후각을 타고났소. 그래서 아주 미칠 지경이오. 댁들의 몸에서 풍기는 그 더럽고 추악하고 형편없는 냄새 때문에."

태극천맹의 고수가 벌컥 화를 냈다.

"그게 무슨 망발이오? 제대로 해명하지 않는다면 아무리 금해가의 숙객이라 하더라도 절대 가만있지 않을 것이오!"

"해명이라……."

광견은 코를 킁킁거리며 말했다.

"우선 귀하가 마지막으로 먹은 음식이 기름에 튀긴 교자와 죽엽청 다섯 잔이구려. 먹은 지 대략 네 시진이 지났고, 살짝 비릿한 물 냄새가 남아 있는 걸로 보아 식사를 하자마자 화선이나 쾌속선에 오른 모양이구려."

태극천맹 고수의 눈이 휘둥그레졌다.

사실이었다. 그는 객잔에서 교자와 술로 대충 끼니를 때운 다음, 곧바로 쾌속선에 올라서 백귀도까지 다녀왔었다.

광견은 계속해서 코를 킁킁거리며 말을 이었다.

"아랫도리 냄새를 보아하니 아직 계집의 냄새와 귀하의 정액 냄새가 함께 남아 있소. 계집의 아랫물 냄새가 나지 않는 대신 연지(臙脂) 냄새와 계집의 침내가 남아 있는 걸 보면 계집이 입으로 귀하의 정액을 빼 준 모양이구려."

"허억."

중년 고수는 저도 모르게 숨을 들이켰다.

"어디 그럼 그 계집이 누구인지 한번 추측해 볼까? 흠, 연지(臙脂)와 분(粉)의 향이 우아하고 고급스럽고 오래 남는 걸 보니 기녀나 일반 평민의 계집은 아닌 것 같구려. 침에서 나는 달콤한 냄새는 가만있자, 포도향이 나는 것 같구려. 호오, 이 시절에 포도라니. 돈이 많고 권세가 있는 가문의 계집이 아니면 결코 맛볼 수 없는 과일이지 않겠소?"

"그, 그만하시오."

중년 고수는 얼굴이 새파랗게 질린 채 빠르게 말했다.

"알겠소. 내가 졌소. 확실히 귀하는 누구도 맡지 못하는 냄새를 맡는 후각을 지니고 있소이다."

중년 고수는 곁에 서 있던 동료를 힐끗 바라보며 황급히 고개를 끄덕였다.

광견은 어깨를 으쓱거리고는 다시 관도의 지면으로 몸을 돌렸다. 흥미진진한 얼굴로 그 상황을 지켜보던 중년 고수의 동료들이 그의 어깨를 툭 치며 능글맞게 웃었다.

"언제 또 그런 재미를 혼자 본 겐가?"

"입으로 해결해 주다니, 그만큼 상황이 바빴다는 모양이지? 설마 상대 여인의 남편에게 걸릴 상황이었던 건 아니겠지?"

"그나저나 부럽군그래. 내 마누라는 그렇게 애원하고 설득해도 지금껏 단 한 번도 입으로 해 준 적이 없는데."

"그야 제수씨가 아직 어리고 또 워낙 고결하고 순수하게 자란 아가씨였으니까."

"뭐 그건 그렇지. 부끄럽고 쑥스럽고 흉측하다고 해서 아직도 내 물건을 제대로 보지 못하는 쑥맥이기는 하지. 허허허."

동료 하나가 껄껄껄 웃으며 제 어린 아내를 자랑하듯 말을 이었다.

"안 그래도 며칠 전 귀한 포도가 들어와서 그녀에게 가져다줬지. 가늘고 긴 손가락으로 한 알씩 까서 그 조그맣고 오동통한 붉은 입술 사이로 쏙 집어넣는데……. 이야, 정말이지, 악양부 그 어떤 기녀들보다도 더 아름답고 요염하더군."

웃는 낯으로 그의 이야기를 듣던 동료들의 얼굴이 천천히 굳어졌다. 사람들은 서로 눈치를 보며 시선을 피했고, 몇몇 사람들은 괜한 헛기침을 하며 중년 고수를 힐끗거렸다.

광견에게 시비를 걸었던 중년 고수는 사색이 된 채 어찌할 바를 몰라 하고 있었다.

오직 제 어린 아내를 자랑하던 동료만 연신 싱글벙글 웃고 있었다.

"허험. 그건 그렇고."

다른 동료가 얼른 화제를 돌렸다.

"그럼 그 열한 명의 인물들이 모두 한 대의 마차로 움직였다 이것이오?"

"그렇구려."

광견은 고개를 끄덕이며 말했다.

"냄새가 남아 있는 분량을 보건대, 대략 한 시진은 족히 흐른 것 같소. 그 마차의 흔적은 이 관도를 따라 계속 이어지고 있소."

"그럼 예서 이렇게 꾸물댈 것이 아니라 얼른 그 뒤를 쫓아야 하는 게 아니오?"

조금 전 동료 고수가 처한 상황을 보고서 이제는 확실히 광견의 능력을 신뢰한 듯 사람들이 그렇게 물었다.

그러나 광견은 어깨를 으쓱거리며 말했다.

"하지만 흔적이 발견된 장소에서 기다리라는 명령이 있어서……."

"누가 그런 명령을 내렸소?"

이 추격대의 수좌라 할 수 있는 능운추풍이 가볍게 눈살을 찌푸렸다.

그때였다.

"죄송하오. 빈승(貧僧)이 그랬소이다."

중후한 목소리와 함께 수십 개의 기척이 그들의 등 뒤에서 다가왔다. 능운추풍은 이미 그들의 존재를 인식하고 있었다는 듯 침착한 표정으로 뒤를 돌아보았다.

원로들의 대표 격인 사해유협, 금해가의 대표라 할 수 있는 천호대군, 그리고 숙객들의 우두머리인 고목대사 등을 비롯하여 이번 추격대의 정예라 할 수 있는 절정의 고수들이 천천히 다가왔다.

그리고 그 뒤쪽으로 천소유가 금해가에서 마련해 준 한 마리 준마(駿馬)를 타고 달려왔다.

그녀가 말에서 내리는 동안, 고목대사가 한 걸음 나서며 합장을 취했다.

"빈승이 예서 기다리라고 했소이다, 아미타불."

능운추풍은 가볍게 눈살을 찌푸렸다.

말라 죽은 고목처럼 깡마른 외모와 그가 들고 있는 검은색 염주를 보고서도 노승이 누구인지 모를 정도로 능운추풍의 견식이 짧지도, 노승의 명성이 없지도 않았다. 더더군다나 그와는 악연이 있었던 능운추풍이었다.

'이미 죽은 지 오래인 줄 알았던 고목이 아직도 살아 있었구나.'

능운추풍은 그렇게 생각하며 입을 꾹 다물었다. 고목대사는 정중한 어조로 말했다.

"죽지 않고 끝까지 살아 있다 보니까 이렇게 또 인연이 닿아 소 시주와 재회하는 날이 다 있소이다."

능운추풍은 참을 수 없다는 듯이 한숨을 내쉬며 무뚝뚝한 어조로 말했다.

"인연이 아니라 악연이겠지."

"악연도 인연의 한 종류이니까 말이오."

고목대사는 무심한 어조로 말했다.

"악연이라고 해서 싫어하거나 무서워할 필요는 없소. 악연이 쌓이다 보면 언젠가 좋은 인연으로 바뀌기도 하고, 또 좋은 인연으로 시작했더라도 시간이 지나고 세월이 흐르면서 악연으로 바뀌는 경우도 있으니 말이오."

"됐소. 그 궤변은 듣고 싶지 않으니 그만 말을 섞겠소."

"아쉽구려. 빈승은 그때처럼 소 시주와 함께 멋진 모험을 떠나고 싶은데 말이오."

"훗. 멋진 모험이라……. 아니, 됐소. 그만합시다. 자, 그럼 귀하께서 오셨으니 이제 계속해서 놈들을 쫓아도 좋소?"

"그 전에 광견의 이야기를 듣고 싶구려."

"마음대로 하시오."

능운추풍은 뒤로 물러났다. 광견이 앞으로 걸어 나오더니 고목대사에게 보고를 올렸다. 고목대사는 '어떻소?' 하는 표정으로 천소유를 돌아보았다.

"대단하네요."

천소유가 미소를 지으며 말했다.

"정말 대단한 능력을 지니셨네요. 적이 열한 명이라는 사실과 다섯 명의 새로운 흔적까지 알아내다니 말이에요."

아름답고 고귀해 보이는 그녀의 칭찬에도 불구하고 광견은 눈살을 찡그리고 코를 쥐어 잡으며 뒤로 물러났다. 천소유는 의아한 표정을 지은 채 그를 쳐다보다가 불쑥 무슨 생각이 떠올랐는지 얼굴을 붉히며 빠른 어조로 말했다.

"그럼 얼른 놈들의 뒤를 쫓기로 하죠."

광견은 아무 대꾸 없이 홱 몸을 돌려 앞으로 걸어 나갔다. 한시라도 빨리 천소유의 곁에서 멀리 벗어나고 싶다는 듯한 움직임이었다.

조금 전 광견에게 불륜의 냄새를 들켰던 중년 고수가 서둘러 그의 곁으로 걸어가서 소곤거렸다.

“천 선주의 무슨 냄새를 맡았기에 그리 죽을 상이시오?”

이제는 광경의 표정과 눈빛만 보더라도 무슨 종류의 냄새를 맡은 건지 대충 짐작하겠다는 듯, 중년 고수는 호기심 가득 담긴 눈빛으로 광견을 바라보았다.

“이래서 계집들과 일하기 싫다니까.”

광견은 투덜거렸다.

“아주 코가 썩어 버릴 것 같네.”

“왜? 무슨, 사내들의 정액 냄새로 뒤덮여 있더이까?”

중년 고수는 침을 꿀꺽 삼키며 물었다.

고고하고 단아하고 우아한 미녀, 천소유.

하지만 알고 보니 밤에는 온갖 사내를 침상으로 끌어들이는 창녀와 같은 계집이었다. 뭐, 이런 기막힌 반전이라도 있지 않을까 싶었던 게다.

그리고 만에 하나 그런 비밀을 빌미로 천소유를 협박하여 이런저런 재미를 볼 수도 있었으니까.

광견은 투덜거리듯 대꾸했다.

“피 냄새요.”

“피 냄새?”

“월경이 시작되었다는 소리요.”

광견은 인상을 쓰며 말했다.

“이제 막 시작한 것 같으니 한동안 아주 지독한 피 냄새를 풍길 것이오. 주변 이십여 리까지 퍼져서 온갖 짐승들을 미쳐 날뛰게 할 것이오.”

“아아, 월경 이야기였소?”

중년 무사는 이내 흥미를 잃은 듯한 얼굴이 되었다. 하지만 광경은 여전히 궁시렁거리며 터버터벅 관도를 걸었다.

“문제는 그 냄새 때문에 다른 냄새들이 다 지워진다는 것에 있소. 놈들이 남기고 간 희미한 체취와 냄새들 말이오. 지금 나는 아주 죽을 맛이오.”

3. 놓치지 않겠어

천소유는 얼굴을 붉힌 채 말에 올랐다.

‘후각이 개의 그것에 비견된다고 했지? 그럼 내가 달거리가 시작되었다는 것도 알았을 테고…… 아마 그래서 그렇게 코를 쥐어 막은 거겠지.’

생각할수록 부끄러운 일이었다. 생전 처음 보는 사내에게 여인의 내밀하고 은밀한 냄새를 맡게 하다니.

아무리 어쩔 수 없는 일이라고 하더라도, 불가항력적인

상황이라 할지라도 그저 부끄럽고 창피하기 짝이 없었다. 그녀의 얼굴이 붉어지는 건 당연했다.

천소유는 되도록 광견에서 멀리 떨어진, 추격대의 후미로 물러났다.

그렇게 그녀가 부끄러운 감정을 숨긴 채 천천히 말을 몰고 가는 가운데, 심부름을 보냈던 십이사자들로부터의 목소리가 희미하게 들려왔다.

"돌아왔습니다."

"어찌 되었나요?"

"백귀도에는 귀영신의 초유동이 은거하고 있었다 합니다."

"귀영신의?"

천소유의 눈빛이 반짝였다.

"그렇습니다. 태극감찰밀에서 그를 재영입하기 위해서 찾아간 적이 있었습니다. 한편으로 건곤가에서도 사람을 시켜 그를 찾아간 모양입니다."

"본 가에서?"

천소유는 생전 처음 들어 본다는 듯 눈을 동그랗게 뜨며 물었다.

"왜요? 본 가에서 왜 그를 찾아요?"

"확실하지는 않습니다만 아마도 삼정활혼단을 목적으로 찾아간 게 아닐까 싶습니다."

"삼정활혼단?"

천소유는 고개를 갸웃거렸다.

삼정활혼단은 귀영신의 초유동의 성명영약이었다. 우연히 약왕문의 전인(傳人)을 만나서 그 약방문을 전수받아 만들었다고 알려진 희대의 환단이었다.

하지만 굳이 그 삼정활혼단에 눈독을 들일 정도로 건곤가의 약당이 허술하지는 않았다.

건곤가의 약당은 천하의 오대가문 중에서도 으뜸이었다. 실제 강호에는 전혀 알려지지 않았지만 건곤가의 약당은 심지어 강시까지 제조할 정도로 뛰어난 의술과 강시술을 지니고 있었다.

"확실한 건 건곤가주께 직접 여쭤보셔야 할 것 같습니다."

"알겠어요."

천소유는 고개를 끄덕이며 생각에 잠겼다.

'어쨌든 무림오적이 백귀도에 들렀다가 귀영신의를 데리고 탈출한 거겠네. 그 어린 소녀는 아마도 귀영신의의 손녀이거나 혹은 시녀일 가능성이 크겠고.'

광견의 보고에 따르자면 마차에 시신처럼 누워 있던 자가 두 명이라고 했다. 젊은 청년과 늙은이. 그 늙은이가 귀영신의 초유동일 것이리라.

'객잔에서, 그리고 화선에서 마주쳤던 그 두 노인이 중

상을 입는 광경을 보지 못했으니까.'

그녀는 잠시 생각하다가 입을 열었다.

"다른 건 없나요?"

기다렸다는 듯이 은밀한 목소리가 들려왔다.

"악양부에는 왕 의생이라는 자가 모두 다섯 명이 있습니다. 하지만 그들 모두 역병에 걸린 환자는커녕 이 밤중에 만난 환자가 단 한 명도 없다고 했습니다."

"그럴 테지요."

천소유는 고개를 끄덕였다.

"당연히 거짓말을 했을 테니까요. 이걸로 대충 모든 일의 윤곽이 잡혔네요."

무림오적이 백귀도에 은거하고 있던 귀영신의 초유동과 만난 건 우연이 아니었다.

우연이었다면 무림오적이 백귀도의 거센 물결을 그토록 쉽게 빠져나가지 못했을 테니까. 분명 놈들 중 백귀도의 지리에 대해서 잘 알고 있는 자가 있었을 것이다.

'그 두 노인 중의 하나이겠지.'

천소유는 어느덧 밝아보는 동녘하늘로 시선을 돌리며 생각을 이어 나갔다.

'귀영신의는 참마붕방의 순찰당주였었지, 아마? 아마 그 노인들 또한 참마붕방의 일원일 테지. 어쩌면 무림오적과 붕방의 노인들이 힘을 합친 것일 수도, 아니면 무림

오적이 붕방 사람들을 끌어모으려고 하는 과정일지도 모르겠네.'

사위에 내려앉았던 어둠이 한순간에 걷히고 있었다. 관도를 따라서 오가는 사람들이 드문드문 보이기 시작했다.

수레를 끌고 오는 이도 있고, 드물게 마차가 이동하는 광경도 볼 수가 있었다.

그렇게 한참을 걷던 추격대 무리들이 어느 순간 걸음을 멈췄다. 상념에 젖어 있던 천소유는 하마터면 앞서 걷던 자와 말을 부딪칠 뻔했다.

천소유는 황급히 고삐를 잡아당겨 말을 세운 후 고개를 빼서 앞쪽 상황을 쳐다보았다. 광견이 개처럼 네 발로 관도를 기어 다니고 있었다.

천소유는 입술을 깨물며 망설이다가 결국 마음을 굳히고는 다시 말을 몰아 추격대 선두 쪽으로 다가갔다.

"무슨 일인가요?"

그녀의 질문에 고목대사가 무심한 어조로 대답했다.

"예서 마차가 멈췄다고 하오. 아마도 새로운 냄새들이 그들과 합류한 모양이오."

냄새라는 말에 천소유는 움찔거렸다.

한참 동안 관도 곳곳을 킁킁거리며 살피던 광견이 자리에서 일어나더니, 천소유를 힐끗 보고는 눈살을 찌푸렸다. 천소유는 쥐구멍에 숨고 싶은 마음을 끝까지 버티고 그 자리에 서 있었다.

"에휴."

광견은 한숨을 내쉬고는 고목대사에게 다가와 입을 열었다.

"한 대의 마차입니다. 여덟 필의 아주 건강하고 혈통 좋은 말이 끄는 화려한 마차입니다. 마차 밖에는 네 명의 사내와 두 명의 여인이, 마차 안에는 돈 냄새 풀풀 풍기는 뚱뚱한 사내가 여섯 명의 계집과 함께 타고 있었는데, 우리가 쫓던 자들 중 세 명의 사내가 그쪽 마차로 옮겨 탔습니다."

광견은 이번에도 역시 그 자리에서 직접 본 것처럼 확신에 찬 목소리로 말했다.

"무슨 대화를 나눴는지는 모르겠지만 대략 일각 동안 이곳에 머물렀습니다. 그리고 세 사내는 마차로 돌아가지 않고 그 뚱뚱한 사내의 마차에 탄 채 이동했습니다. 우리가 쫓던 마차가 그 뒤를 따라갔습니다."

천소유는 광견의 말을 들으면서 한 사람을 떠올렸다.

'대륙전장주 금적산.'

돈 냄새 풀풀 풍기는 뚱보 사내라면 확실히 금적산이 떠오르는 게 당연했다.

화선에 올라 피한주와 피서주를 자치하고 장예추와 피

독주를 다투다가 결국 패했던 인물.

느닷없이 벌어진 집단전을 구경하다가 싸움이 끝난 후 금해가와 태극천맹의 강제적인 억류에 격렬하게 항의하던 자.

그리고 천소유가 준비한 배 대신 자신의 시녀들이 타고 온 배로 갈아타면서 '오늘의 이 수모, 결코 잊지 않겠다'라는 협박 아닌 협박을 했던 자.

'어쩔 수 없는 상황이기는 했어.'

누가 적이고 누가 아닌지 모르는 상황에서 비월을 비롯한 금해가와 태극천맹 무사들은 강압적이고 강제적으로 화선의 손님들의 신분을 일일이 확인했다.

그 과정에서 뭇 명망가(名望家)들이 언성을 높이며 항의했지만 무사들은 조금도 꿈쩍하지 않았다.

동료들과 선후배들이 바로 눈앞에서 죽고 다치는 모습을 본 그들이었다. 그들의 눈에는 살기가 등등했고, 그들의 얼굴은 흉신악귀(凶神惡鬼)처럼 일그러져 있었다.

결국 화선의 경매에 참석한 명망가들은 수치스럽고 굴욕적인 모습으로 자신의 신분을 확인해 줄 수 있는 증패 등을 보여 준 후에야 저들의 억류에서 풀려날 수가 있었다.

금적산 홍진보는 네 명의 하인만 데리고 온 상황이었다. 물론 그들 모두 천력(天力)과 패도적인 무공을 지닌 고수들이었으나, 불과 네 명으로 수백 명의 금해가, 태극천맹, 비월의 고수들을 상대할 수는 없었다.

결국 그는 이를 악문 채 호패를 꺼내어 자신의 신분을 확인시켜 주었고, 무사들의 사과를 뒤로한 채 화선을 빠져나왔다.

'우리에게 불만이 있을 수밖에 없겠지. 하지만 그렇다고 해서 무림오적과 손을 잡을 생각이라면 뭔가 크게 착각한 거야.'

천소유는 속으로 중얼거렸다.

'아무리 천하의 대륙전장이라 하더라도 태극천맹을 향해 칼을 들이댔다가는 하루아침에 괴멸당할 수도 있으니까.'

대륙전장이 천하 금권의 절반 이상을 지배하고 있다고는 하지만, 그렇다고 해서 그들을 대체할 사람이 없는 건 전혀 아니었다. 아예 이참에 금해가가 전장 쪽으로까지 세력을 넓히는 것도 나쁘지 않았다.

'잘 생각하셔야 합니다, 대륙전장주.'

천소유는 그렇게 상념을 끝내고 고개를 들었을 때, 그녀의 주변에는 아무도 없었다.

광견은 이미 관도를 따라 저 멀리 걸어가고 있었으며, 추격대 또한 그녀를 무시한 채 자기네들끼리 움직여 그 뒤를 따르고 있었다.

비록 천소유가 이 추격대의 최고 지휘권자라고 하지만 추격대의 사람들은 그리 생각하지 않는 모양이었다. 그저 명목상의 지휘권자, 혹은 꿔다 놓은 보릿자루. 그 정도로 생각하는 게 분명했다.

'재미있네요.'

천소유는 방긋 웃었다.

그러고는 천천히 말을 몰아 추격대의 뒤를 따르기 시작했다. 말발굽 소리가 들렸을 터이지만 누구 하나 뒤돌아보지 않았다.

천소유도 그런 그들을 탓하지 않았다. 그저 그녀는 조금 전 고목대사가 했던 이야기를 되씹는 중이었다.

'인연과 악연이라…….'

천소유는 문득 잘생긴 청년의 얼굴을 떠올렸다. 아직 소년이었을 적의 얼굴도 기억났다.

물론 당시에는 그저 반갑고 기분 좋은 인연이라고 생각했지만, 돌이켜 보면 그와 만난 건 확실히 악연이었다. 고목대사의 말처럼 인연이 언제든지 악연으로 바뀌는 실제 예라고 할 수 있었다.

'하지만 고목대사의 말은 틀렸어.'

악연은 다시 좋은 인연으로 바뀌지 않았다. 그 어떤 일이 있더라도, 설령 하늘이 무너지고 바다가 갈라지더라도 한 번 맺은 악연은 결코 좋은 인연으로 변하지 않는

법이다.

천소유의 눈빛이 가늘어졌다.

그녀는 나지막한 목소리로, 그림자처럼 자신을 따르고 있는 열두 명의 사자들을 향해 밀명을 내렸다.

"모든 비월을 대기시키세요."

"알겠습니다."

그림자들 중 몇몇의 기척이 사라졌다. 그들은 곧 약속된 신호를 통하여 태극천맹 본산에서 대기하고 있던 삼백 비월을 총동원할 것이다.

또한 화선에서의 전투 이후 휴식을 취하고 있던 비월들 역시 그 신호에 따라 이곳으로 달려오게 될 것이다.

그들이라면 상황이 어떻게 급변한다 할지라도 천소유가 충분히 제어할 수 있는 힘을 될 터였다.

그녀의 지시는 게서 끝나지 않았다.

"무당과 소림을 찾아서 천맹과 원로회의 이름으로 문경급 고수 다섯 명씩만 차출해 오세요."

다시 두 개의 그림자가 사라졌다.

문경급 고수라면 즉 구파일방의 장문인급에 해당하는 무위를 지닌 고수를 뜻했다. 하기야 그 정도 실력이 되지 않는다면 애초에 저 무림오적을 상대로 싸울 수가 없었다.

그녀는 마지막으로 명령을 내렸다.

"아버님께 말씀드리세요. 예추의 뒤를 쫓고 있는 중이라고요."

다시 하나의 그림자가 사라졌다.

굳이 긴말이 필요 없었다.

예추의 뒤를 쫓는 중이다.

그 한마디면 충분했다. 나머지는 그녀의 부친이자 장예추에게 목숨을 잃은 천휘수의 아비인 건곤가주 천예무가 알아서 할 일이었다.

어쩌면 숨겨 두었던 세력을 동원할지도, 어쩌면 새로 만든 강시를 움직일지도, 어쩌면 본인이 직접 나설지도 모르는 일이었지만 한 가지만큼은 확실했다.

그녀의 부친은 그녀보다 훨씬 더 지독하고 집요한 복수심을 지니고 있었다.

그렇게 지시를 마친 천소유는 나지막하게 중얼거렸다.

"이번에는 절대 놓치지 않겠어, 예추."

인연이든 악연이든, 그 지독한 업보(業報)를 끊을 때가 된 것이다.

7장.

금적산(金積山)

두 명의 크고 작은 뚱보가 피식 웃으며 서로를 향해 고개를 살짝 끄덕였다.
마치 염화시중(拈花示衆)의 미소처럼,
지금 네가 무슨 생각을 하고 있는지 다 알고 있다는 듯이.

금적산(金積山)

1. 뚱보들

“아무리 생각해도 이해가 가지 않는 부분이 있습니다.”

“어려워하지 말고 말씀하시게.”

“장주께서 천하를 적으로 돌리면서까지 굳이 우리와 손을 잡을 이유가 없다고 생각합니다. 자존심이라는 게 그리 중요한 겁니까?”

“하하하. 중요하지, 자존심이라는 게.”

“남은 목숨과 지금껏 쌓아 올린 명성과 바다처럼 끝없는 재산을 모두 버릴 정도로 말입니까?”

“설마 그 정도까지 중요할 리가.”

“그런데 어찌하여 장주께서는…….”

"이보시게."

"말씀하십시오."

"나는 약간 부류가 다르기는 하지만, 어쨌든 스스로 장사꾼이라고 생각하고 있네. 한 푼의 이익을 얻기 위해 천 리 길을 마다하지 않고 움직이는 장사꾼처럼 어리석지는 않지만, 그래도 언제나 손익을 따져서 반드시 이익이 나야 움직이는 편일세."

"그러니까 말씀드리는 겁니다. 도저히 이해가 가지 않는다고요."

"허어, 생각보다 꽉 막힌 친구로군그래. 좋아, 단도직입적으로 말하지. 나는 자네들과 손을 잡아서 생기는 이득이 저 태극천맹과 금해가를 상대하면서 발생하는 손실에 비해 크다고 생각했네. 그래서 기꺼이 자네들 앞에 마차를 세운 거고, 또 이렇게 자네들을 태워 이야기를 나누는 것이지."

"그게 이해가 가지 않는다는 겁니다. 어떻게 우리와 손을 잡는 게 훨씬 더 이득이 될 수 있겠습니까?"

"음, 자네는 확실히 스스로를, 그리고 동료들을 과소평가하고 있군그래. 나는 자네들이 화선에서 저들과 당당히 맞서 싸우는 광경을 똑똑히 지켜보았네."

거기까지 말한 금적산은 문득 목이 타는지 손을 들었다.

시중을 들고 있던 아름다운 시녀가 얼른 그의 손에 술잔을 쥐여 주었다. 금적산은 천천히 술을 비웠고 시녀는 다시 공손하게 술잔을 건네받아 술을 채웠다.

강만리는 난감한 표정을 지으며 엉덩이를 긁적거렸다.

자신의 양옆에도 저렇게 아름다운 시녀들이 앉아서 온갖 시중을 들고 있었다. 그리고 그건 장예추도 담우천도 마찬가지 상황이었다.

양쪽에 여인을 끼고 술과 과일과 요리를 먹는 광경은, 지금 이 공간이 관도를 따라 빠르게 질주하는 마차 안이 아니라 고급 주루의 한 밀실처럼 느껴지게 만들고 있었다.

여덟 필의 건장한 준마가 이끄는 그 화려한 마차 안에서 금적산은 계속해서 말을 이어 나갔다.

"나는 자네들이 백귀도의 거친 물살을 이용하여 저들을 따돌리는 모습도 지켜보았고, 또 자네들이 금해가를 불태우는 것도 지켜보았네. 그런데 어느 곳에다가 돈을 걸라고? 당연히 자네들에게 돈을 걸어야 하지 않겠나? 조금 전에 말했던 내 자존심은 덤이고 말이지."

강만리는 조그마한 눈을 끔뻑거리며 말했다.

"이야, 정말 바쁘셨겠습니다. 우리 뒤를 그렇게 일일이 다 뒤쫓아 다니셨다니요."

"허어, 내가 어찌 일일이 자네들의 뒤를 쫓아다니겠는

가, 귀찮게시리."

"하지만 방금 우리 일을 모두 다 지켜보셨다고 하지 않았습니까?"

"내 손과 발과 귀와 눈이 되어 주는 자들이 내 대신 지켜보았다는 걸세. 그리고 내게 그걸 전해 주었다는 것이고."

강만리는 입을 다물었다.

이야기를 나누면서 이 거대한 뚱보 중년인이 수십만 명의 직원을 둔 대륙전장의 주인이라는 사실을 잠시 잊고 있었던 것이다.

대륙전장의 지점(支店)과 분점(分店)은 전국에 퍼져 있었다. 이곳 악양부 일대만 하더라도 세 개의 지점이 적당한 거리를 두고 설치되어 있었다.

한 지점에서 정식으로 일하는 자의 수는 대략 오십여 명, 일당을 받아 가며 허드렛일을 하거나 심부름을 하는 자들의 수는 대략 이백여 명, 또 수당을 받고 그들을 경호하고 호위하는 무사들의 수 역시 백여 명이 되었다.

거기에다가 그들의 식솔들까지 포함한다면, 이 악양부만 하더라도 대륙전장을 통해 밥을 빌어먹고 살아가는 이들이 대략 오천여 명이나 되었다.

그들은 곧 금적산의 눈과 귀가 되었다. 그들이 보고 들은 것들은 빠른 속도로 금적산에게 전달되었다. 그렇기 때문에 천하 어느 곳에서 일어나든, 어떤 은밀한 일이든 대부분 금적산의 이목에서 벗어나지 못했다.

정보는 소중했다.

금리는 살아 있는 생물처럼 언제 어떤 식으로 움직일지 몰랐다.

가령 대륙의 서쪽 가장 먼 지역인 서안(西安)의 조그만 객잔에서 벌어진 살인 사건으로 인해, 대륙의 동쪽 끝자락에 있는 항주(杭州)의 금리(金利)가 급격하게 변동될 수도 있었다.

그렇기에 대륙전장에게 있어서 정보는 그 무엇보다도 중요했다. 금리가 어떻게 요동칠지 미리 알고 대처한다면 수만, 수십만 금의 이익을 앉은 자리에서 간단하게 벌 수 있었으니까.

어쩌면 황계나 흑개방보다 훨씬 더 정교하고 충성심 높은 정보망을 가지고 있는 곳이 바로 이 대륙전장일지도 몰랐다.

잠시 생각하던 강만리는 여전히 탐탁지 않은 표정을 지은 채 입을 열었다.

"우리 동료가 극독에 중독되었다는 것도 그 수많은 눈과 귀를 통해 아신 겁니까?"

"아니네."

금적산 홍진보는 거만하게 웃으며 고개를 저었다. 그러

고는 자신보다 작지만 훨씬 더 단단하고 맷집 좋아 보이는 뚱보를 향해 자랑스레 말을 늘어놓았다.

"그건 간단한 내 추측에 의해서지. 조 늙은이는 저 장예추라는 친구가 보주들의 주인이라고 했지. 또 다른 주인들은 일이 생겨서 오지 못했다고 저 친구가 말했고. 그러면서 굳이 손해까지 보면서 피독주를 구매한 건 그만큼 피독주가 필요한 상황이라는 뜻. 다시 말해 또 다른 주인들 중 누군가가 극독에 당했을 가능성이 크다는 의미가 되겠지."

금적산은 힐끗 마차 뒤쪽을 응시하며 말을 이었다.

"그리고 자네들이 타고 온 마차에서는 마침 두 명의 중환자가 실려 있었고."

강만리의 눈빛이 희미하게 반짝였다.

'마차 내부를 보여 준 적도 없고, 병자가 있다는 말을 한 적도 없다. 즉, 금적산 곁에는 마차 내부를 들여다보지도 않고서 그 안에 '두 명'의 병자가 있다는 걸 알아낼 정도의 고수가 있다는 의미가 되는 것이다.'

어쩌면 이 거만하고 오만한 뚱보에게 그런 능력이 있을지도 몰랐다.

'흠, 이게 좋은 인연인지 악연인지 모르겠단 말이야.'

강만리의 표정이 미묘하게 변할 때였다. 그때까지 단 한 마디도 하지 않고 묵묵히 듣기만 하던 담우천이 불쑥 입을 열었다.

"하나만 확실하게 하고 가지."

느닷없는 그의 하대에 금적산의 눈매가 매섭게 휘어졌다. 하지만 금적산은 곧 사람 좋은 표정을 지으며 말했다.

"말해 보게."

그러고 보니 두 사람의 나이 차는 그리 많지 않아서 마치 친구나 동료가 대화를 나누는 것처럼 보였다.

담우천은 담담한 눈빛으로 그를 바라보며 물었다.

"분명 두 사람을 모두 살릴 수 있는 게지?"

"물론일세."

금적산은 씨익 웃었다.

"내게는 약왕문의 후예가 있으니까."

2. 묘한 일

묘한 일이었다.

분명 느릿하게 천천히 주변을 살피면서 걷는 것 같았는데 광견의 이동 속도는 믿어지지 않을 정도로 빨라서, 잠시 한눈을 팔면 금세 거리가 수십 장이나 벌어졌다.

뒤따르던 추격대의 고수들은 혀를 내둘렀다. 그야말로

미친개 한 마리를 뒤쫓는, 그런 기분이 들었던 것이다.

광견은 쉬지 않고 움직였다. 오직 냄새와 기척만을 뒤쫓아서 수십 리 길을 단숨에 이동했다.

"아직도 그때 일을 잊지 않으셨소?"

그 뒤를 따르던 와중에 고목대사가 문득 능운추풍을 향해 질문을 던졌다.

능운추풍은 고개를 돌린 채 아무 대꾸도 하지 않았다.

"고개를 돌리면 피안(彼岸)이라오, 소 시주."

고목대사의 현기 서린 말에 능운추풍은 길게 한숨을 쉬며 중얼거렸다.

"가짜 땡중이 고고한 척은."

고목대사는 그 말을 들었는지 입을 다물었다.

그때였다. 광견이 갑자기 속도를 내기 시작했다. 그는 그야말로 미친개처럼 관도를 달렸다. 말보다 빠른 속도였다.

고목대사는 입을 다문 채 그 뒤를 쫓았다. 다른 이들도 마찬가지였다.

능운추풍을 비롯하여 추격대에 속한 백여 명의 인물들은 하나같이 절정에 이른 고수들이었다. 그들의 경공술은 말보다 빠르고, 사슴처럼 날렵했다.

정작 광견을 따라잡느라 고생하고 있는 이는 진짜로 말을 탄 채 달리고 있는 천소유였다.

금해가에서 내준 준마를 타고 있었지만 그녀는 좀처럼 쉽게 광견의 뒤를 따라붙지 못했다. 그녀는 입술을 깨문 채 쉬지 않고 말을 달렸다.

해는 중천에 떴고 관도를 오가는 행인의 수는 점점 늘어났다. 행인들은 질주하는 추격대 무리를 피해 관도 양옆으로 비켜서면서 눈을 휘둥그레 뜨고 그들을 지켜보았다.

당연한 일이리라. 말보다 빨리 달리는 사람을, 그것도 백여 명이나 되는 무리를 본다는 건 그리 흔한 일이 아니었으니까.

넓은 평야를 지나고 거대한 구릉이 정면에 나타났다. 관도는 그 구릉을 크게 우회하여 이어졌는데, 광견은 관도를 벗어나 구릉 위로 치달리기 시작했다. 사람들도 나는 듯 그 뒤를 쫓았다. 천소유를 태운 준마의 근육질 몸에 땀이 배어 나왔다.

단숨에 구릉 정상에 오른 광견이 그제야 걸음을 멈추고 어느 한 방향을 가리키며 입을 열었다.

"저 마차들입니다."

고목대사를 비롯한 고수들은 광견이 가리키는 방향으로 시선을 돌렸다. 구릉을 크게 우회하면서 이어지는 관도 저 끝자락에 두 대의 마차가 먼지를 일으키며 달려가고 있었다.

"생각보다 빨리 따라잡았네요."

뒤늦게 따라붙은 천소유는 이마의 땀을 닦으며 말했다.

"대충 한 시진 정도면 놈들을 잡을 수 있을 것 같소."

고목대사의 말에 천소유는 고개를 끄덕였다.

"좋아요. 그럼 속도를 늦추지 말죠."

광견은 코를 틀어막은 채 다시 빠른 속도로 구릉을 내려가기 시작했다.

*　*　*

'세상일이라는 게 참 묘하다니까.'

강만리는 속으로 중얼거렸다.

'아무리 전후(前後)를 잘 살피고 예측해서 준비해도 늘 어긋나고 계획대로 진행되지 않는단 말이지. 지금처럼.'

강만리는 힐끗 금적산을 쳐다보았다. 그는 두 명의 아름다운 시녀들의 시중을 받으며 술과 과일을 먹는 중이었다.

강만리는 다시 동료들을 돌아보았다. 담우천은 팔짱을 낀 채 창밖을 지켜보는 중이었고, 장예추는 고개를 숙인 채 잠든 모양이었다.

피곤할 법도 했다. 쓰러진 화군악을 둘러업고 안가를

빠져나온 이후 지금껏 그는 계속해서 쉬지 않고 고도의 집중력을 발휘하고 유지해야만 했으니까. 육체적인 것보다는 정신적인 피로가 더욱 그를 지치게 했을 것이다.

강만리는 그런 장예추를 바라보면서 상념을 이어 나갔다.

'원래 계획대로라면 악양부를 벗어나서 곧바로 정주 쪽으로 내달려 정유들을 따라잡으려 했었는데 말이지. 이렇게 방향을 금릉(金陵)으로 바꾸게 될 줄 누가 알았겠느냐 이거야.'

정주는 악양에서 서북쪽에 위치한 성시였다. 반면 금릉은 악양의 정동쪽 방향에 자리를 잡고 있었으니 그야말로 전혀 다른 방향이었다.

'이러면 예예와 다시 멀어지게 되는군.'

강만리의 상념은 문득 예예에게로 이어졌다.

'별 탈은 없겠지?'

잠시 한가해지자 더욱 그녀와 자식의 안위가 궁금해졌다. 더불어 화평장 식구들이 지금쯤 어느 곳을 이동하고 있는지도 궁금했다.

'우선 무당산 쪽으로 움직이라고 했으니까…… 지금은 그곳을 벗어나서 낙양 쪽으로 방향을 틀었을 게다.'

강만리는 입술을 깨물었다.

역시 생각대로였다면 닷새 정도 지나 정주 즈음에서 그

들과 조우할 수 있었다.

그러나 이제는 틀렸다. 최소한 유주 땅에 이를 때까지는 그들과 만날 수 없게 된 것이다.

'하지만 어쨌든 군악을 치료하는 게 급선무이니까.'

강만리는 다시 시선을 돌려 금적산을 바라보았다. 마침 금적산도 강만리를 바라보고 있던 참이라 두 사람의 시선이 마주쳤다.

두 명의 크고 작은 뚱보가 피식 웃으며 서로를 향해 고개를 살짝 끄덕였다. 마치 염화시중(拈花示衆)의 미소처럼, 지금 네가 무슨 생각을 하고 있는지 다 알고 있다는 듯이.

그때였다.

"따라잡혔군."

창밖을 내다보던 담우천이 담담한 어조로 중얼거렸다. 강만리와 금적산은 빠르게 고개를 돌렸다.

창밖 높이 솟구친 거대한 구릉 위, 한 떼의 무리가 그곳에 모여 있는 모습이 점(點)처럼 조그맣고 멀리 보였다.

"역시."

금적산이 감탄하듯 입을 열었다.

"천하의 태극천맹, 금해가라니까."

강만리가 고개를 갸우뚱거리며 말을 받았다.

"하지만 이렇게 간단하게 뒤를 밟히다니요."
"저쪽에 아주 좋은 사냥개가 있는 모양이지."
"흠, 그렇다면 이제 어쩔 생각이십니까?"
"당연하지 않겠나? 저쪽에 뛰어난 사냥개가 있다면 그 사냥개를 사용하지 못하게 만들어야지."
"암살하실 작정입니까?"
"허어, 정말이지 모든 걸 죽이는 것으로 해결하려 드는군."
금적산은 혀를 차며 말을 이었다.
"자네는 마치 장사꾼처럼 행동하지만 역시 한 치도 벗어나지 않는 무림인이라니까. 오로지 주먹으로만 무엇이든 해결하려 드는."
'내가 뼛속부터 무림인이라고?'
강만리는 묘한 표정을 지었지만 이내 화제를 돌렸다.
"그럼 어떻게 사냥개를 사용하지 못하게 만들 생각이십니까?"
"사냥개의 가장 뛰어난 점은 후각에 있지. 그리고 아마도 놈들은 우리의 냄새를 좇아 예까지 달려왔을 것이네. 가령 누군가의 몸에 천리향(千里香)이 뿌려져 있다든가."
금적산의 말은 사실과 달랐지만, 또 한편으로는 어느 정도 맞다고 할 수 있었다.
"그러니 우리의 체취를 바꾸면 되는 일일세. 옷을 다

갈아입고, 혹시 몸에 잔존하고 있을지도 모르는 천리향을 지우기 위해 다 같이 목욕도 하고 마차와 말도 갈아치우고, 그렇게 하면 사냥개는 쓸모가 없게 되겠지."

"그럴 시간이, 장소가 있습니까?"

"허어, 이보게. 내가 누구인가? 천하의 금적산이 아닌가?"

금적산은 힐끗 창밖을 바라보았다. 구릉 정상에 있던 자들이 빠르게 하산하고 있었다.

"대략 한 시진 정도는 여유가 있군그래. 그 정도라면 충분히 씻고 옷을 갈아입을 수 있을 게야."

그렇게 말한 금적산은 곧이어 가볍게 손뼉을 치며 말했다.

"다 들었지?"

마차 밖의 하인들이 대답했다.

"다 들었습니다."

"그럼 알아서들 준비하게."

"알겠습니다."

순간적으로 마차가 가벼워지는 듯했다.

* * *

관도는 북쪽으로, 그리고 동쪽으로 갈라져 있었다. 북쪽으로 향한 관도는 낙양과 정주로 이어졌고 동쪽의 관도는 금릉으로 쭉 뻗어져 있었다.

"금릉 쪽입니다."

광견은 코를 킁킁거렸다.

그들이 구릉을 내려오는 동안 마차는 이미 시야에서 사라지고 보이지 않았다.

하지만 추격대는 결코 초조하거나 불안한 표정을 짓지 않았다.

그들에게는 한 시진이면 충분히 따라잡을 수 있다는 자신감이 넘쳐흐르고 있었다. 그리고 그 자신감의 원천은 이 미친개처럼 생긴 광견에게서 나왔다.

광견은 금적산과 강만리 일행의 마차가 어느 방향으로 사라졌는지 정확하게 알아맞혔다. 그러고는 미친개처럼 빠르게 관도를 따라 내달렸다.

어느덧 해는 서쪽으로 천천히 이동하고 있었다. 악양부 북문을 벗어나 추격을 시작한 지 한나절 이상이 흐른 것이다.

백여 명이 그 한나절 동안 쉬지 않고 빠른 속도로 관도를 질주하고 있음에도 누구 하나 거친 호흡을 내뱉는 자가 없었다. 무리는 조용했다. 아무도 입을 열지 않은 채 오로지 정면의 광견을 주시하고 그 뒤를 쫓았다.

천소유가 타고 있는 준마의 근육이 터질 것처럼 부풀어 올랐다. 아무리 준마라 할지라도 한나절 동안 쉬지 않고 내달리는 건 확실히 무리였던 것이다.

더 무리인 건 천소유였다.

온종일 달리는 말 위에 앉아 있는 건 절대 쉬운 일이 아니었다. 엉덩이는 타들어 갈 것만 같았고 전신의 근육과 뼈마디가 어긋난 채 아우성을 치고 있었다.

"따로 마차를 준비하겠습니다."

그림자처럼 그녀의 뒤를 따라오는 이들 중 누군가가 입을 열었다. 천소유는 지친 표정으로 고개를 끄덕였다.

"부탁해요."

그림자 하나가 쏜살같이 앞으로 튀어 나갔다. 추격대의 고수들은 제 곁을 스치듯 날아가는 그림자의 기척에 흠칫 놀라며 고개를 돌렸다.

'비월인가?'

'흠, 십이사자인 모양이로군. 비월 중에서도 최고의 실력을 갖췄다는…….'

사람들은 저마다 그림자의 신분에 대해 생각하고는 곧 상념을 지워 냈다. 아무리 비월의 열두 사자가 최고의 실력을 지녔다 한들 자신들과는 비교할 수 없다는 자신감과 여유가 그들의 표정에서 드러나고 있었다.

그렇게 비월의 그림자가 추격대를 앞서 달려 나간 지 약 반 시진 정도 흘렀을까.

인근 마을에서 구한 듯한 사두마차 한 대가 관도 한쪽

에 홀로 서 있었다.

추격대는 그제야 왜 비월의 그림자가 자신들을 추월해 갔는지 이해하겠다는 표정을 지었다. 힐끗 뒤를 돌아보며 천소유의 상태를 확인하는 이들도 몇몇 있었다.

'생각보다 훨씬 허약하군. 저런 몸으로 어찌 비선의 주인이 되었단 말인가?'

'역시 건곤가라는 배경이 있었던 까닭이겠지.'

'확실히 뒷배가 있어야 높은 자리를 차지할 수 있다니까.'

추격대 사람들은 그렇게 생각하며 피식 웃었다.

천소유는 그들의 표정과 눈빛만으로 무슨 생각을 하고 있는지 알아차렸다.

하지만 그녀는 아무 말 없이 말에서 내려 비월의 그림자가 준비해 둔 마차로 갈아탔다. 그림자가 사두마차를 몰기 시작했다.

천소유는 좌석에 등을 붙이고 눈을 감았다. 딱딱하게 굳어진 근육이 천천히 녹듯이 풀어졌다. 한결 몸이 편안해졌다. 진작에 마차를 이용할걸 하는 아쉬움이 그녀의 뇌리를 스칠 때였다.

갑자기 마차가 멈췄다. 천소유는 눈을 감은 채 입을 열었다.

"무슨 일이죠?"

그림자들이 대답했다.
"광견의 걸음이 멈췄습니다."
"광견이 꽤 곤란한 얼굴을 짓고 있습니다."
"뭔가 잘못된 모양입니다."
천소유는 천천히 고개를 끄덕였다.
"그렇겠죠."
그녀는 이미 알고 있었다는 듯이 차분한 어조로 중얼거렸다.
"이렇게 간단하게 잡힐 무림오적이었다면 벌써 잡혀도 수십 번은 잡혔을 테니까요."
평온한 어조와는 달리, 그렇게 중얼거리는 그녀의 얼굴에서는 참을 수 없는 분기(憤氣)가 서리서리 흘러나오고 있었다.

3. 달리기

광견은 당황한 표정이었다.
지금까지 진하게 풍겨 왔던 냄새들이 갑자기 사방으로 흩어지면서 연기처럼 사라졌다. 마치 두 대의 마차에 나눠 타고 있던 사람들이 동시에 사방팔방으로 뿔뿔이 흩어져서 도주한 것처럼.

'하지만 그건 말도 안 되지.'

금적산 일행과 무림오적이 헤어질 수는 있었다.

하지만 금적산 일행이 뿔뿔이 흩어지는 것도, 무림오적이 시체처럼 썩는 냄새를 풍기는 병자들을 업고 사방으로 나눠서 도망치는 것도 있을 수가 없는 일이었다.

들킨 것이다.

'누군지 모르지만 내가 뒤쫓는다는 걸 알아차렸군.'

광견은 그렇게 생각했다.

후각으로 뒤를 쫓는 광견의 존재를 알아차린 놈들이 지금까지의 냄새를 모두 지워 낸 게 분명했다. 어떤 방법을 사용한 건지는 모르지만 그들은 확실히 광견을 당황시킬 정도로 빠르고 완벽하게 자신들의 냄새를 지웠다.

'흐흐. 내 존재를 아는 자가 있다니, 정말 식견이 뛰어난 자가 놈들 중에 있나 보구나.'

광견은 어깨를 으쓱거렸다.

무엇보다 자신을 알아주는 자가 있다는 것이 생각보다 기쁘고 흐뭇했다. 거기에 오래간만에 뒤쫓는 보람이 생기는 강적을 만났다는 즐거움까지 더해지니, 절로 입가에 미소가 매달릴 수밖에 없는 노릇이었다.

'그렇다고 내가 쫓지 못할 거라고 생각했다면 그건 하나만 알고 둘은 모르는 게지.'

냄새를 지웠다고 해서 아무 냄새가 나지 않는 건 아니

었다. 비워진 자리에는 새로운 냄새가 다시 자리를 잡게 된다. 왕견은 기존의 냄새 대신 새로 생긴 냄새를 각인하고 그 뒤를 쫓으면 되는 게다.

물론 쉬운 일은 아니었다.

이미 동이 튼 지 오래였고 해가 중천 가까이 솟았다. 관도에는 제법 많은 행인이 오갔으며 마차와 수레들도 끊임없이 지나갔다.

그런 수백 수천의 냄새들이 한데 뒤섞인 공간에서 무림오적과 금적산의 새로운 냄새를 찾는 건 모래밭에서 바늘을 찾는 일과 다를 바가 없었다.

광견은 코를 관도 지면에 박은 채 땅을 헤집고 다니는 멧돼지처럼 킁킁거리며 기어 다녔다.

행인들은 그 기괴한 모습에 놀라 당황하며 자리를 비켰다. 그런 광견을 보고 미친놈이니, 변태니 하는 온갖 욕설을 퍼붓는 자들도 있었다.

추격대는 그런 광견과 한패라는 걸 감추려는 듯 일부러 멀리 떨어진 곳에서 그 광경을 지켜보고 있었다.

"이런 쯧쯧. 저 모습을 보고 있자니 예전에 사냥을 나갔을 때의 기억이 떠오르네. 그때 쫓고 있던 사슴이 시내를 따라 거슬러 도망치자, 사냥개들이 그 흔적을 잃어버리고 지금 저 광견처럼 어쩔 줄을 몰라 하더군."

"그나저나 행여나 아는 사람 만날까 걱정이 되네. 아무리 추적의 달인이라 하더라도 저런 모습은 영…….”

추격대 고수들은 멀리 떨어진 곳에서 광견이 허둥거리는 모습을 바라보며 혀를 찼다.

반면 한쪽에서는 그렇게 광견을 경원시하고 조롱하는 자들을 보며 한숨을 내쉬는 노인들이 있었다.

“허어, 아직도 저런 소리를 하는 친구들이 있군그래.”

“광견의 존재가 얼마나 소중한지 몰라서 하는 소리입니다.”

“그러니까 말이오. 만약 광견이 없었더라면 이미 오래전에 놈들을 놓치고 빈손이 되어 악양부로 돌아갔을 것이오.”

고목대사와 칠절우사 등 백팔숙객의 수좌라고 할 수 있는 노인들이 혀를 차며 대화를 나눌 때였다.

관도 지면을 엉금엉금 기며 냄새를 맡던 광견이 이윽고 허리를 펴며 자리에서 일어났다. 그는 더러워진 두 손으로 땀에 흠뻑 젖은 얼굴을 벅벅 문질렀다. 시커먼 땟국물이 줄줄 흘러내렸다.

태극천맹의 고수들이 눈살을 찌푸리는 가운데 원로회 노인들이 그에게 다가가 손수건을 건네며 물었다.

“찾으셨소?”

광견은 손수건을 받아 들고 다시 얼굴을 훔치며 대답했다.

"다행히 찾았습니다."

"호오, 역시 한 번 물면 절대 놓치지 않는다는 별명답구려."

"별말씀을요."

광견은 땟국물로 더럽혀진 손수건을 돌려주며 말했다. 능운추풍은 눈살 하나 찌푸리지 않고 손수건을 받아 품에 넣었다. 광견은 물끄러미 그 모습을 지켜보다가 정중한 어조로 말했다.

"놈들은 여전히 금릉으로 향하고 있습니다. 제 불찰로 꽤 시간을 지체했으니 얼른 움직이시죠."

"그럽시다."

광견은 서둘러 걷기 시작했고 능운추풍을 비롯한 원로회의 노기인들이 뒤를 따랐다. 멀리서 팔짱을 끼고 지켜보던 태극천맹 고수들이 혀를 차며 걷기 시작했다. 천소유가 타고 있는 마차의 바퀴도 굴렀다.

추격대가 다시 움직이기 시작했다.

광견의 걸음은 생각보다 빨랐다. 일반 사람들이 뛰어가는 속도보다 빨랐다. 보조를 맞춰 걷던 능운추풍은 문득 호기심이 생겨 말을 건넸다.

"달리면 이보다 빠르오?"

광견은 쑥스럽다는 표정을 지으며 말했다.

"마음먹고 달리면 그 누구도 쫓아오지 못해서……."

"호오."
능운추풍은 턱수염을 매만졌다.
그의 별호에서 봐도 알 수 있듯이 능운추풍의 장기는 경공술에 있었다. 속도에 관해서라면 누구에게도 지기 싫은 자존심이 있을 수밖에 없었다.
"그럼 내가 책임질 터이니 어디 마음껏 달려 보시오."
"그래도 되겠습니까?"
광견이 기쁜 목소리로 물었다.
"물론이오."
다른 원로회 노기인이 고개를 끄덕이는 순간이었다. 광견은 미친 듯이 내달렸다. 순식간에 그의 신형이 시야 밖으로 사라졌다. 그야말로 미친개의 폭주였다.
뒤따르던 추격대 고수들이 화들짝 놀랐다. 능운추풍이 크게 기합을 넣었다.
"허헙!"
동시에 그는 지면을 박차고 허공을 날았다. 그의 신형은 이내 한 줄기 바람이 되었다. 다른 원로회 노기인들도 재빨리 경공술을 펼쳤다.
그들이 시야에서 사라질 즈음에야 추격대 고수들은 황급히 정신을 차리고 경공술을 펼쳤다. 백여 명의 무림인들이 한 떼의 야생마들처럼 관도를 질주하기 시작했다.
오가는 행인들이 황급히 옆으로 피하는 가운데, 천소유

의 마차가 그 뒤를 쫓았다.

"크하하하!"

광견은 미친 듯이 웃으며 관도를 내달렸다.

이렇게 마음껏, 통쾌하게 질주하는 게 얼마 만인지 모르겠다. 추격전에 나설 때마다 다른 자들의 발걸음에 맞춰서 속도를 제어해야만 했던 그였다. 그동안 쌓여 왔던 답답함이 한꺼번에 씻겨 나가는 듯했다.

"허허허! 이렇게 통쾌하게 달리는 게 이토록 기분 좋은 일인지 그동안 잊고 있었소!"

능운추풍의 목소리가 광견의 귓전에서 들려왔다. 광견은 깜짝 놀라 옆을 돌아보았다. 어느새 능운추풍이 백염(白髥)을 휘날리며 그와 보조를 맞춰 나란히 질주하고 있었다.

능운추풍은 세찬 바람에 눈을 가늘게 뜬 채 말을 이었다.

"가끔은 세상일 모두 잊고 이렇게 마구 달려 보는 것도 나쁘지 않을 것 같구려!"

광견은 눈을 동그랗게 뜨고 그를 쳐다보다가 불쑥 입을 열었다.

"역수(櫟樹)로 냄새를 지우고 그 위에 침향(沈香)을 덧씌웠습니다! 그래서 좀처럼 놈들의 흔적을 찾기 어려웠습니다!"

광견은 능운추풍에게 존대하며 어떻게 놈들의 흔적은 다시 찾게 되었는지 설명하려 했다. 하지만 능운추풍은 고개를 저었다.

"됐소! 그 이야기는 나중에 하기로 하고 지금은 우선 마음껏 달려 봅시다!"

능운추풍은 크게 웃음을 터뜨리며 더 빠르게 경공술을 펼쳤다. 광견도 어색하게 따라 웃더니 더욱더 힘차게 지면을 박차며 내달렸다.

8장.

가족(家族)과 식구(食口)의 차이

"그래서 새로운 권력이 필요하다는 걸세.
내가 후원하고 내가 이끌어서 만들어진 권력.
그 권력을 토대로 대륙의 모든 전장을 하나로 통일할 작정일세.
자네들은 천하에 군림하게. 나는 돈 위에 군림할 터이니."

1. 식구(食口)

역수(櫟樹)는 어린 잎으로 떡을 싸 먹는다고 하여 떡갈이라 불렸다.

재질이 단단하고 거칠며 무거우나 생각보다 쉽게 갈라진다. 참나무 특유의 아름다운 호랑이 무늬를 가지고 있으며 비틀림은 크나 강도가 높다는 특징이 있었다.

떡갈나무의 또 다른 특징은 바로 탈취(脫臭)에 있었다. 떡갈나무잎과 나무껍질은 탈취에 특화된 효능을 지니고 있어서 온갖 음식물 냄새나 썩은 내를 사라지게 하는 데 탁월한 효과를 지녔다.

금적산은 마차에 탄 모든 이들의 옷을 벗기고 새로운

옷으로 갈아입혔다. 그리고 행여 남아 있을지 모르는 천리향의 향기를 마저 지워 내기 위해서 떡갈나무잎과 껍질을 한가득 마차에 실었다.

한편 시녀들과 하인들은 추격자들의 후각을 분산시키기 위해서 벗긴 옷들을 나눠 가진 채 사방으로 흩어졌다가 오십여 리 떨어진 곳에 버려 두고 되돌아왔다.

만약 금적산의 대처가 거기까지였다면, 아무리 광견이 천하제일의 후각을 지니고 있다 할지라도 결코 금적산의 뒤를 쫓지 못했을 것이다. 사방으로 흩어진 흔적과 냄새로 갈팡질팡하면서 크게 낭패를 보았을 것이다.

하지만 금적산은 게서 한 가지 더 처방을 내렸다.

"천리향에는 침향이 최고라고 하니까."

침향은 최고급 약재 중 하나로 같은 무게의 황금보다도 훨씬 더 값이 나가는 고가의 물건이었다.

일반적으로 침향은 상처를 낫게 하고 간과 신장의 독을 제거하는 데 강력한 효능이 있다고 했다. 또한 남녀의 생식 기능을 돋워 주고 피를 맑게 하며 막힌 기를 뚫고 오장육부를 보(保)하는데도 탁월한 효과가 있었다.

거기에 침향의 향은 천리향이나 만리향으로 대변되는 추적향(追跡香)을 지우고 추격자들을 혼란에 빠뜨리는 효능도 가지고 있었다.

일반적으로 천리향은 천리향만 있다고 해서 누구나 그

냄새를 맡고 뒤쫓을 수 있는 게 아니었다. 일반 사람들은 맡지 못하는 천리향의 냄새를 맡기 위해서 추격자들은 따로 훈련하고 그 냄새를 코에 배게 만들었다.

침향에는 천리향이나 만리향의 향기와 뒤섞여서 그 훈련된 코가 전혀 쓸모없게 만드는 묘용이 있었다. 금적산이 굳이 침향을 꺼내 향을 피운 까닭은 바로 거기에 있었다.

"또 저쪽 마차에 있는 병자들에게도 좋을 테니까."

금적산은 그렇게 말하면서 금보다 비싸다는 침향을 아낌없이 사용했다.

하지만 그가 간과한 건, 그 어디에도 천리향이 묻어 있지 않았다는 사실이었다. 광견이 그들의 뒤를 쫓는 건 천리향의 향기가 아니라 금적산과 강만리들의 순수한 체취를 맡을 수 있었기 때문이었다.

그런 의미에서 금적산이 옷을 버리고 떡갈나무를 사용하여 그 체취를 지운 건 탁월한 선택이었다.

하지만 침향은 달랐다.

그들의 체취를 잃어버리는 바람에 크게 당황해 하던 광견은 그 금보다 귀한 침향의 향기에 주목했다. 아무리 오가는 행인이 많고 수레와 마차들이 쉴 새 없이 관도를 질주한다고 하더라도, 그 값비싼 침향을 마구 사용할 수 있을 정도의 부자는 흔치 않았다.

'아니, 오로지 금적산뿐일 것이다.'

광견은 그렇게 확신했고, 그 침향의 향기가 어느 방향으로 이어지는지 살폈다. 확실히 침향의 향기는 바람을 거스르면서도 금릉 방향으로 이어지고 있었다.

광견의 질주는 그렇게 시작된 것이다.

금적산은 그런 사실을 전혀 알지 못한 채 껄껄 웃었다.

"하하하! 지금쯤 울상이 된 채 관도 여기저기를 헤매고 있을 걸세!"

그는 자신의 탁월한 계략에 스스로 취한 듯 연신 싱글벙글 웃는 낯으로 강만리를 바라보며 말을 이었다.

"어떤가? 이 정도면 자네들의 후원자 노릇을 제대로 해낼 수 있지 않을까 싶은데."

강만리는 쉽게 대답하지 않았다.

이곳까지 오는 동안 금적산이 왜 자신들과 손을 잡으려 하는지에 대해서 제대로 들었다.

금적산은 생각보다 훨씬 욕망이 크고 야망은 원대했다. 의외의 부분에서 집요했고 의외의 부분에서 소탈하고 너그러웠다. 무엇보다 금적산은 돈에 미친 자였다.

"세상 돈의 절반이 내 것이라고 사람들은 칭송하지만, 나는 겨우 절반밖에 되지 않아서 속상해하거든. 생각해 보게. 다 가질 수 있는데 그중 절반만 갖고 있다면, 자네들이라고 해도 기분이 좋을 리가 없지 않겠나?"

금적산은 그렇게 말했다.

"그래서 새로운 권력이 필요하다는 걸세. 내가 후원하고 내가 이끌어서 만들어진 권력. 그 권력을 토대로 대륙의 모든 전장을 하나로 통일할 작정일세. 자네들은 천하에 군림하게. 나는 돈 위에 군림할 터이니."

그게 금적산의 솔직한 속내였다.

솔직히 강만리는 천하에 군림할 생각이 없었다.

하지만 금적산의 엄청난 재력은 확실히 탐이 날 수밖에 없었다. 화군악이 이 처지가 된 것 역시 애당초 오대가문과 황계 등과 맞서 싸울 군자금을 마련하기 위함이 아니었던가.

금적산이 뒷배가 된다면 더 이상 군자금에 대한 걱정은 하지 않아도 되었다. 오로지 정면만 보고 싸우면 되었다.

'지금의 자금으로도 충분하지 않을까?'

아니, 그건 모르는 일이다.

저 오대가문과 싸우는 건 지난(至難)하고 지루한 전쟁과도 같은 일이었다.

사실 오대가문의 가주를 죽이는 건 그리 어려운 일이 아니었다. 어제만 하더라도 장예추 혼자서 금해가주 초일방을 해치울 뻔하지 않았던가.

그러나 가주를 죽인다고 해서 승리를 쟁취하는 건 절대 아니었다.

지금껏 무적가주와 철목가주를 해치웠다고는 하지만 그렇다고 해서 무적가와 철목가가 괴멸되지는 않았으니까. 외려 그 두 가문은 잠시 몸을 추스른 채 모든 병력을 집중하고 전력을 극대화해서 강만리들과 싸우려 들 것이다.

가주를 죽이고 수뇌부들을 해치우고 가신들과 식솔들을 죽여서 그들의 마지막 항쟁의 결의까지 무너뜨려야만 비로소 괴멸시켰다고 말할 수 있었다.

또 문제는 오대가문이 전부가 아니라는 점에 있었다. 오대가문이 붕괴된 이후의 황계는? 그리고 태극천맹은?

거기까지 생각한다면 지금의 돈으로는 어림없었다. 재물이 쉬지 않고 마구 솟아나는 화수분이 필요했다. 금적산의 재력이 딱 적격이었다.

"이런, 한참 웃고 떠들었더니 배가 고프군그래."

금적산의 말에 시녀들이 움직이기 시작했다.

거대한 팔두 마차에는 없는 것이 없었다. 이내 한 상 가득 화려한 요리가 차려졌다.

강만리는 시녀들의 숙련된 움직임을 지켜보았다.

이 아름다운 시녀들 모두 강호의 일류 고수 이상의 무위를 지니고 있었다. 그녀들은 금적산의 명령이 떨어지기가 무섭게 사람들의 옷을 가지고 수십 리 밖으로 달려나갔다가 순식간에 돌아왔다. 어쩌면 경공술에 관한 한, 절대 강만리에게 뒤처지지 않을 실력을 지니고 있었다.

'이런 고수들이 얼마나 있을까? 어쩌면 오대가문에 전혀 밀리지 않을지도 모르겠군.'

돈은 마물(魔物)이었다.

돈이 있는 곳에 탐욕이 존재했고 돈을 가지려는 자와 지키려는 자와의 싸움이 있었다. 전장은 돈이 모여드는 곳이었고, 그 돈을 지키기 위해 최대한 실력이 좋고 충성심이 뛰어난 무사들에게 호위를 맡겼다.

대륙전장의 지점과 분점의 수가 얼마나 될까. 본점과 금적산의 호위는 차치하더라도, 그 지점과 분점을 지키는 무사들의 수는 또 얼마나 될까.

'금적산을 동료로 둔다면 자금뿐만 아니라 그 수많은 무사들까지 등에 업는다는 뜻이다.'

강만리는 저도 모르게 침을 꿀꺽 삼켰다. 금적산이 오해한 듯 껄껄 웃으며 말했다.

"이런, 이런. 밥 앞에서 격식 따지는 것처럼 어리석은 일이 없지. 어서들 들게. 차린 건 없지만 마음껏 드시게."

금적산은 구운 오리 다리 하나를 쭉 찢어 입에 넣었다. 마치 방금 굽기라도 한 듯 뜨거운 김이 모락모락 피어올랐다.

생각해 보니 어제저녁부터 오늘 낮까지 한 끼도 먹지 못한 채 쉬지 않고 움직이기만 했던 강만리들이었다. 이내 그들도 체면 차리지 않고 식사를 시작했다.

차려진 요리들은 유명한 객잔의 숙수들이 갓 만든 것처럼 신선하고 맛있었다. 확실히 금적산의 식사다운 상차림이었다.

그러나 정작 금적산은 마음에 들지 않는 모양이었다.

"금릉에 당도하면 제대로 된 상차림을 보여 주겠네. 이건 뭐 배가 고파서 억지로 먹을 수밖에 없으니."

하지만 금적산은 이내 싱긋 웃으며 말을 이었다.

"어쨌거나 이제 우리는 식구(食口)가 되었네. 식구라는 게 뭐 그리 대단한가? 같은 자리에 앉아서 함께 밥을 먹으면 그게 식구인 게지."

그는 기름기 잔뜩 묻은 입술을 놀리며 쉬지 않고 떠들었다.

"하지만 또 대단한 건 말이지. 식구라는 게 서로 감정 좋지 않고 견원지간인 가족보다 훨씬 더 끈끈하고 두터운 정을 쌓을 수 있다는 부분이거든. 그런 의미에서 우리는 가족보다 더 서로를 신뢰하고 힘을 합칠 수 있는, 그런 존재들이 될 수 있을 거네."

묵묵히 식사를 하던 장예추가 오래간만에 입을 열었다.

"한두 끼 같이 밥을 먹었다고 해서 식구가 된다면 세상 사람 모두가 식구가 되겠군요."

"하하, 물론 그건 아니지. 어디 한두 끼 함께 먹었다고 다 식구가 되겠는가? 한 지붕 밑에서 함께 자고 일어나고 밥을 먹어야만 비로소 제대로 된 식구라 할 수 있을 게야."

"그럼 우리는 제대로 된 식구가 아니잖습니까?"

"앞으로 그렇게 되자는 걸세. 혈연이나 혼인으로 만들어진 가족과는 달리 식구는 얼마든지 선택할 수가 있지 않나? 그러니 우리는 서로를 식구로 선택할 수 있고, 또 아주 좋은 식구가 될 거라고 장담하네."

"흠, 그렇게 된다면야……."

장예추는 말꼬리를 흐렸다.

금적산의 이야기를 듣던 강만리는 문득 예예를 생각했다. 식구가 아닌 진짜 가족. 과연 지금 그 가족들은 어디에서 무얼 하고 있을까.

광견을 비롯한 추격대들이 자신들의 뒤를 쫓고 있다는 사실을 전혀 모른 채, 강만리와 금적산들은 그렇게 새로운 식구가 되어 거창한 식사를 하고 있었다.

그들을 태운 두 대의 마차는 쉬지 않고 금릉을 향해 관도를 질주했다.

2. 월아원(減我園)

금릉은 남경(南京)의 옛 이름이었다.

주원장은 황제가 되기 전 금릉을 응천부(應天府)라 고

친 후 자신의 근거지로 삼았다. 그가 명(明)을 건국한 이후에는 남경으로 이름을 바꿨으며, 이후 정식으로 나라의 도읍으로 정하면서 다시 경사(京師)라고 고쳤다.

훗날 영락제가 나라의 도읍을 자신의 근거지였던 순천부(順天府)로 옮기면서 이름을 북경(北京)으로 바꾸고는 경사를 북경에 대비되는 남경이라는 이름으로 환원했다.

불과 오십여 년 동안 그렇게 여러 차례 이름이 바뀌었지만, 여전히 일반 백성들 사이에서는 금릉이라는 이름이 더 깊게 각인되어 있었다.

호남의 악양부에서 강소(江蘇)의 금릉까지는 대략 닷새에서 열흘 정도 걸리는 거리였다. 길게 이어지는 구강(九江)의 물줄기를 따라 배를 타고 가는 여정도 있었고, 탄탄대로처럼 잘 닦인 관도를 따라 이동하는 여정도 있었다.

금적산과 강만리의 마차는 관도를 따라 쉼 없이 내달렸다. 바쁜 건 그들을 시중드는 하인들과 시녀들이었다.

하인과 시녀들은 조를 짜서 움직이며 물과 음식을 조달했다.

놀랍게도 물자를 조달하는 건 어렵지 않았다. 커다란 성시(城市)는 물론 조그마한 마을까지 숨은 조력자들을 둔 것처럼, 그들이 잠시 마차 밖으로 나갔다가 돌아오면 필요한 물건들이 양손 가득 들려 있었다.

강만리들이 얼굴을 씻고 물수건으로 목욕을 하고 새 옷으로 갈아입을 수 있었던 건 바로 그 놀라운 조달 능력 덕분이었다.

말도 마찬가지였다. 아무리 천하의 준마라 하더라도 온종일 쉬지 않고 달릴 수는 없었다. 무엇보다 체력이 달려 속도를 낼 수가 없었다.

그때마다 하인들은 마치 미리 준비해 둔 것처럼 말들을 데리고 나타났다. 하인들은 능수능란한 손놀림으로 달리는 마차에서 여덟 필의 말을 떼어 내고 새로운 말들로 교체했다. 절대 한두 번 해 본 솜씨가 아니었다.

그렇게 해서 금적산과 강만리들은 아무리 빨라도 닷새 이상 걸리는 거리를 단 이틀 하고도 반나절 만에 주파하여, 머나먼 금릉 땅에 당도할 수 있었다.

금릉은 과거 육조(六朝)의 도읍이었던 만큼 고색창연한 고풍(古風)의 건물들이 즐비했다. 또한 주원장의 도읍이었던 만큼 성대하고 화려하기 그지없는 건물들도 셀 수 없이 많았다. 그야말로 과거와 현재가 공존하는 듯한 거대한 성시가 바로 이곳 금릉이었다.

금적산과 강만리들을 태운 두 대의 마차는 금릉의 서문을 통과하여 곧장 북쪽으로 질주했다. 대략 이각 정도 흐른 뒤, 두 대의 마차는 어느 거대한 장원 입구에 멈춰 섰다.

십만 평이 넘는 넓은 대지에 수백 채의 고루전각(高樓殿閣)이 늘어서 있었고, 그 안에는 호수와 연못, 가산(假山)과 인공 폭포들이 곳곳에 배치되어 있었다.

게다가 장원이 얼마나 크고 넓은지, 정문에서 후문까지 걸어간다면 한나절은 족히 걸릴 정도였다.

마차의 창밖을 통해 장원 내부를 둘러보는 강만리의 눈이 휘둥그레졌다. 화평장은 감히 언급할 수 없을 정도로 엄청난 규모의 장원이었다.

저 거대한 금해가보다 대여섯 배는 커 보였다. 어쩌면 북경부 자금성에 비견되지 않을까 싶을 정도의 거대한 장원이었다.

"아니, 자금성보다는 훨씬 작네. 자금성이 이십만 평이 넘으니까 한 절반은 되겠군."

금적산은 껄껄 웃으며 말했다.

"어찌 일개 필부(匹夫)가 되어서 감히 자금성에 비견되는 규모의 장원을 지으려 하겠는가? 이 정도면 지금의 상황에서 충분히 만족하네. 암, 만족하고말고."

'지금의 상황에서는 말이지.'

강만리는 금적산을 돌아보며 입을 열었다.

"그럼 이곳이 대륙전장의 본가(本家)입니까?"

"설마."

금적산은 웃으며 고개를 저었다.

“본가는 따로 있지. 이곳 월아원(泧涐園)은 겨울에 지내기 위해 만든 두 번째 집일세. 원래 남경이 대륙에서 가장 무더운 세 도읍 중 한 곳이 아닌가? 게다가 한때 주원장께서 근거지로 삼았던 곳이기도 하고. 내게 있어서 겨울을 나기에는 딱 좋은 곳이지.”

마차는 이미 월아원 내부로 들어섰지만 좀처럼 멈출 기미를 보이지 않았다. 정문을 통과하고 중문을 지났지만 내당에 이르려면 아직도 조금 더 시간이 필요했다.

삼 장 높이의 가산 꼭대기에서 흘러내리는 인공 폭포의 물줄기가 유난히 시원하게 느껴지는 가운데, 금적산과 강만리의 대화는 계속해서 이어지고 있었다.

“재작년에 완공되었네. 무려 십오 년이라는 세월이 걸렸지. 하지만 워낙 인부들이 열심히 움직여서 생각보다 빠르게 완공된 거네. 애당초 예상은 이십 년을 생각했었으니까.”

“생각보다 사람은 많지 않군요. 경비 무사들도 그렇고.”

“하하. 보이는 게 전부는 아니라는 것만 말해 두지. 참, 혹시 자금성에 가 본 적이 있나?”

“육칠 년 전에 한 번 가 봤습니다.”

“호오, 그럼 잘 알겠군. 자금성에도 경비 무사가 많던가?”

“그건…….”

“그렇지? 원래 그런 법일세. 경비가 허술해 보인다고

해서 누가 감히 자금성의 담장을 넘으려 하겠는가? 마찬가지일세. 월아원이 나 금적산의 장원인 줄 알면서 감히 누가 담장을 넘으려 하겠는가?"

"흠, 그렇겠군요."

"그래. 그건 그렇고…… 재촉하지는 않겠네. 이삼일 푹 쉬면서, 자네 동료들을 치료하는 걸 지켜보면서 천천히 결정해 주게. 물론 나는 자네들과 한 식구가 되고 싶지만, 설령 그런 결정이 아니더라도 충분히 자네들의 의견을 존중해 줄 터이니까."

"알겠습니다."

마차는 어느덧 내당으로 이어지는 본문을 지나고 있었다.

내당에는 이십여 채의 웅장한 누각(樓閣)과 아름다운 전각이 풍수(風水)의 위치에 따라 세워져 있었다. 각 건물마다 구역을 나누는 담과 문이 있었으며, 정원과 후원이 건물 앞뒤로 우아하고 아름답게 조경되어 있었다.

두 대의 마차는 내당 어느 한 전각 앞에 이른 후 멈췄다.

"흠, 이제 다 왔군. 오늘은 편히들 쉬시게."

금적산이 웃으며 말했다.

"며칠 여행하면서 낯이 익었을 터이니 이 아이들에게 시중을 들라 하지. 그러니 원하는 게 있으면 이 아이들에게 무엇이든 말씀하시게."

강만리는 신중하게 말했다.

"다른 건 필요 없습니다. 군악과 초 어르신께서 빨리 완쾌되게끔 부탁드리겠습니다."

"하하, 그건 약당에서 알아서 할 게야."

금적산의 말을 뒤로하고 강만리와 담우천, 장예추는 마차에서 내렸다. 뒤따라온 마차에서도 사람들이 하나둘씩 내려섰다.

꽤 험난하고 오랜 여정이었으나 사람들의 안색은 하나같이 밝고 건강해 보였다. 금적산의 하인과 시녀들이 얼마나 그들을 알뜰히 보살폈는지 보여 주는 대목이었다.

화군악과 초유동은 하인들이 준비한 들것에 실려 마차에서 내려왔다.

"약당으로 보내게. 약당주가 알아서 치료하겠지."

금적산은 마차 밖으로 몸을 내밀며 말했다. 그의 지시에 따라 하인들이 움직이려는 순간, 초목아가 앞으로 나서며 당차게 말했다.

"저도 갈게요."

금적산이 눈을 휘둥그레 뜰 때, 유 노대와 만해거사도 한 걸음 걸어 나오며 동시에 말했다.

"나도 가겠소."

"약왕문의 후예라는 자가 얼마나 대단한 인물인지 직

접 보고 싶구려."

금적산은 살짝 눈살을 찌푸렸다가 이내 활짝 웃으며 고개를 끄덕였다.

"그렇게들 하시게."

금적산의 하대에 두 노인은 인상을 찌푸렸지만 아무 대꾸 없이 하인들의 뒤를 따라 걸어 나갔다.

"그럼 내일 연락을 할 테니, 오늘은 다들 푹 쉬면서 여정을 푸시게."

금적산은 어깨를 으쓱거리고는 마차를 출발시켰다. 그를 태운 팔두마차가 천천히 이동했다.

함께 여행한 하인들과 시녀들이 강만리 앞에 공손히 허리를 숙인 채 말했다.

"안으로 드시죠."

강만리는 전각의 현판을 올려다보았다.

영웅전(英雄殿)이라는 세 글자가 용사비등(龍蛇飛騰)의 필체로 적혀 있었다. 강만리는 그 현판을 쳐다보면서 하인들에게 물었다.

"이곳이 손님들이 묵는 곳이오?"

하인들 중 우두머리인 자가 대답했다.

"귀빈을 모시는 곳입니다."

"흠."

강만리는 잠시 주변을 둘러보고는 고개를 끄덕이며 동

료들에게 말했다.

"그럼 들어갑시다."

* * *

광견이 이끄는 추격대가 금릉 어귀에 당도한 것은 그로부터 이틀이 지난 뒤였다.

추격대원들은 대부분 절정에 이른 고수들이었지만 그들도 결국 사람이었다. 먹을 때는 먹어야 했으며 쉴 때는 쉬어야 했다.

물론 그들은 최선을 다해서 시간을 단축하려 애썼다. 건량(乾糧)과 육포(肉脯)로 끼니를 때웠고, 불과 하루에 두 시진 정도 쪽잠을 자면서 어떻게든 마차와의 거리를 단축하려 노력했다.

그러나 금적산의 마차 바퀴는 한시도 쉬지 않고 굴렀으며, 시간이 흐를수록 점점 차이는 벌어져서 결국 이틀이라는 격차가 나고 말았다.

금릉 어귀에 당도한 광견이 다시 그들의 냄새를 놓치고 허둥댔지만 천소유는 당황하지 않고 차분하게 지시를 내렸다.

"여기까지 왔으면 놈들의 목적지가 어디인지 쉽게 알 수 있어요. 월아원으로 가죠."

추격대는 천소유의 말에 따라 곧장 금릉으로 진입, 월아원을 향해 진격했다.

백여 명의 무림인들이 한꺼번에 모습을 드러냈지만, 금릉 사람들은 놀라거나 당황하거나 불안해하지 않았다. 무림인들에게 꽤 익숙해 있는 듯한 모습이었다. 그러고 보니 거리 곳곳마다 무기를 휴대한 무림인들이 보였다.

"생각보다 무림인들이 많군그래."

"음? 몰랐나? 재작년에 월아원이 완공된 이후 경비 무사를 상시 모집하고 있다더군. 우리 천맹보다 훨씬 보수가 높고 근무 환경이 좋다는 소문이 자자하지."

추격대원들은 두런두런 대화를 나누면서 월아원으로 향했다. 그렇게 이야기를 나누는 자 대부분은 태극천맹의 고수들이었다.

능운추풍은 잠시 눈살을 지푸리고 그들을 지켜보다가 걸음을 늦춰 천소유가 타고 있는 마차로 향했다. 천소유가 창밖으로 시선을 돌리자, 능운추풍이 차분한 어조로 물었다.

"이곳 천맹의 금릉 지부 사람들은 부르지 않으실 생각이오?"

천소유가 당연하다는 듯이 되물었다.

"소 노야께서도 부르실 생각이 없으시잖아요?"

"하기야."

능운추풍은 고개를 끄덕였다.

"그들이 있으면 외려 방해만 될 것 같으니까."

태극천맹 소속이라 하더라도 일반적으로 지부 사람들은 그 지역에 밀착하여 사는 자들이었다. 당연히 지역 호족이나 고관대작과 훨씬 더 가깝게 지내고 온갖 향응을 받으면서 그들의 민원과 고충을 해결해 주기도 했다.

이곳 금릉도 마찬가지일 것이다. 어쩌면 이곳 지부의 사람들은 태극천맹 소속이라고 하기보다는 월아원 소속이라고 해도 과언이 아닐 것이다.

그러니 친선의 의미로 월아원을 방문하는 게 아니라면 태극천맹 지부 사람들은 외려 방해가 될 수 있었다.

해가 뉘엿뉘엿 질 무렵 마침내 추격대는 월아원에 당도했다. 그들 모두 하나같이 경험 많고 노련한 자들이었지만, 월아원을 처음 접하는 자들은 그 거대하고 웅장한 규모에 놀라 입을 쩍 벌려야만 했다.

반면 월아문의 정문을 지키고 있던 무사들은 백여 명의 추격대를 보고도 전혀 당황하지 않은 채 묵묵히 그들을 지켜보고 있었다.

"이건 뭐, 자금성을 구현해 놓은 것 같군."

누군가 중얼거리는 동안, 천소유의 마차가 일행 앞으로 움직였다.

문이 열리고 천소유가 내렸다. 그녀는 고목대사와 능운

추풍을 대동하고 정문으로 걸어갔다.

수문위사들이 그들의 앞을 가로막았다.

"실례지만 무슨 일이십니까?"

그들의 질문에 천소유는 부드럽게 미소를 지으며 말했다.

"홍 장주를 뵈러 왔어요."

3. 가슴과 머리의 차이

지난 이틀 동안 강만리 일행은 금적산과 다섯 번이나 함께 식사했고, 두 번의 연회 자리에 참석했다.

연회에는 금적산만 참석하는 게 아니었다. 이곳 금릉의 고관대작, 호족, 상인들이 교대로 모습을 드러냈다. 심지어 태극천맹의 금릉 지부 사람들도 있었다.

이날 저녁에도 연회 자리가 마련되어 있었고, 강만리 일행은 대청에 모여서 그 준비를 하던 참이었다. 여장(女裝)을 벗은 설벽린이 문득 한숨을 쉬며 입을 열었다.

"이거 너무 한가한 게 아닐까요?"

사람들이 그를 돌아보자, 설벽린은 찻잔을 내려놓으며 말을 이었다.

"아무리 추격대를 따돌렸다고는 하지만 언제 또 놈들

이 나타날지 모르잖습니까? 그리고 화평장 식구들의 소식도 궁금하고요."

강만리는 무뚝뚝하게 말했다.

"군악과 초 노야의 회복을 기다리고 있잖나?"

"언제까지요? 보름? 한 달? 아니면 일 년?"

나찰염요가 잔잔하게 미소 지으며 말했다.

"안 그래도 어제 만해 사부를 만났어요. 그 약왕문의 후예라는 자, 생각보다 훨씬 젊기는 하지만 그런 소리를 들을 정도로 실력이 뛰어나다고 하셨어요."

"진짜 약왕문의 후예랍니까?"

"만해 사부가 물어봤지만 빙긋 웃으며 고개를 저었다고 하네요. 금적산이 자신의 보잘것없는 실력에 금칠을 해도 너무 했다고 하면서요."

"쳇, 그러니까 결국 약왕문의 후예도 아니라는 거잖습니까?"

"하지만 그 젊은 약당주의 치료 덕분에 군악 도련님과 초 노야 모두 차도를 보이고 있다고 하셨거든요."

"너만 답답하고 초조한 게 아니다."

강만리가 나무라듯 말했다.

"만해 사부가 약당에 계시니 군악과 초 노야의 상태를 지켜보다가 이 정도면 되겠다 하고 우리에게 말을 주실 때, 그때 이곳을 뜰 것이야."

"그러니까 그게 언제냐는 거죠."

"아무리 늦어도 열흘은 걸리지 않을 것이다."

강만리의 확고한 말에 설벽린은 입을 다물었다. 구석 자리에 앉아서 잠자코 듣고 있던 장예추가 그를 대신하듯 입을 열었다.

"금적산과는 어찌할 생각이십니까?"

강만리는 가볍게 눈을 찡그리며 되물었다.

"너는 어찌하고 싶으냐?"

"가슴은 반대하지만, 머리는 함께해야 한다고 하네요."

무슨 말인지 알 것 같았다. 강만리는 저도 모르게 피식 웃으며 말했다.

"나도 딱 그런 상황이다. 형님은 어찌 생각하십니까?"

닥나무 종이로 진지하게 검을 손질하던 담우천은 검에서 시선을 떼지 않은 채 대답했다.

"나는 정과 친분과 인연을 내세우며 접근하는 자를 믿지 않네."

"흠."

"하지만 식구를 선택할 수 있다는 말은 옳다고 생각하네. 우리도 혈연으로 얽힌 가족이 아니지 않는가?"

"흐음."

"그러니 자네가 잘 생각해서 결정하게."

담우천은 그렇게 말을 맺은 후, 정성을 다해 검날을 닦고 또 닦았다.

강만리는 길게 한숨을 내쉬며 설레설레 머리를 흔들었다.

그때였다. 하인 한 명이 대청 안으로 들어서며 허리를 숙였다.

"연회에 참석하실 때가 된 듯합니다."

그는 강만리들을 시중드는 무리의 우두머리로, 이름은 정일(丁一)이라고 했다.

강만리들은 우락부락하게 생긴 그를 두고 정 두목이라는 별칭으로 불렀다. 험상궂게 생긴 얼굴과 무뚝뚝한 표정과는 달리, 강만리들이 한 점 불편을 느끼지 않게끔 살뜰하게 시중을 들었다.

"정 두목이 그리 말했으니 일어나야겠지."

설벽린이 끄응, 하며 자리에서 일어났다. 다른 이들도 뒤따라 일어나 정일의 안내를 받아 연회가 펼쳐지는 곳으로 향했다.

호수처럼 넓은 연못 한가운데 크고 화려한 정자가 세워져 있었다. 사람들은 수상길을 따라 정자로 향했다.

문득 담호가 주위를 둘러보며 나지막하게 중얼거렸다.

"며칠 전의 화선이 떠오르네요."

그 말을 들었는지 설벽린이 피식 웃으며 대꾸했다.

"그때와 같이 살벌한 싸움이 벌어질지도 모른다고."

"설마요."

"아니지. 네가 이 아름다운 경치를 보고서도 화선을 떠올렸다는 건 그만큼 불안하다는 뜻, 어쩌면 네 육감이 누구보다도 먼저 불길한 기운을 감지한 것인지도 모르……."

"쓸데없는 소리."

강만리가 혀를 차며 나무랐다.

"어린아이 데리고 허튼소리나 할 거면 돌아가서 잠이나 자라."

설벽린은 어깨를 으쓱거리며 입을 다물었다.

설벽린의 말 때문이었을까. 사람들은 조금 더 긴장한 기색으로 정자에 들어섰다.

정자에는 커다란 식탁이 놓여 있었고 중앙에는 금적산이, 그의 좌우 양쪽으로는 대여섯 명의 처음 보는 이들이 앉아 있었다.

"허허, 빨리들 오시게. 기껏 준비한 요리들이 다 식겠네."

금적산은 호탕하게 웃으며 강만리 일행을 반겼다.

"늦었습니다."

강만리들은 간단한 사과의 말과 함께 준비된 맞은편 자리에 앉았다. 아름다운 묘령의 시녀들이 그들을 시중들며 식사를 준비했다.

"인사들 하시게. 이쪽은 여러 영웅들을 만나겠다고 불원천리(不遠千里)를 마다하지 않고 달려와 주신 강동의 귀한 분들이시네."

금적산의 말에 낯선 중년인들이 차례로 일어나 자신을 소개했다.

"이렇게 뵙게 되어 영광입니다. 항주(杭州)의 소병춘(蘇秉春)이라고 합니다. 항주에서 이런저런 장사를 하는 장사꾼입니다."

"허허, 말은 저렇게 하지만 항주에서 제일가는 부자일세. 수십 채의 건물과 수십만 평의 땅을 가지고 있지."

금적산은 새로 온 이들이 제 소개를 할 때마다 그렇게 한마디씩 말을 덧붙였다.

여섯 명의 중년인들은 강동 지역에서는 내로라하는 갑부, 거상, 호족들이었다. 이들 여섯 명과의 인맥만 잘 쌓아 두면 강동 일대에서는 두려울 게 없을 정도였다.

강만리들도 차례로 자신들의 소개를 짧게 했다. 오로지 설벽린만이 눈빛을 반짝이며 강동의 귀한 분들과 적극적으로 교류하고자 했다.

"자, 그럼 음식 식기 전에 먹으면서 이야기를 나누지."

금적산이 가볍게 손뼉을 쳤다. 아름답고 육감적인 몸매를 지닌 시녀들이 각 손님에게 찰싹 달라붙은 채 고기를 잘라 건네고 술을 따라 주었다.

금적산은 이 자리의 주인공이 되어 자연스럽게 분위기를 만들고 대화를 이끌어 갔다. 사람들은 웃고 떠들면서 화기애애하게 연회의 식사 시간을 즐겼다.

그래서였을 것이다.

하인 하나가 조심스레 다가와 금적산에게 귀엣말을 건네는 걸 눈치챈 사람이 극히 적었던 까닭은.

한순간 금적산의 눈썹이 송충이처럼 꿈틀거렸다. 그러나 이내 그는 활짝 웃는 낯으로 하인에게 뭔가 지시를 내렸다. 하인은 고개를 숙인 채 그림자처럼 자리에서 사라졌다.

강만리는 입안에서 녹는 듯 사라지는 동파육 세 점을 한꺼번에 우물거리며 입을 열었다.

"뭔가 급한 일인가 봅니다."

그의 입에서는 한입 가득 고기를 머금고 있어서 웅얼거리는 듯한 소리가 흘러나왔지만, 바로 맞은편 자리에 앉아 있던 금적산은 의외로 쉽게 알아들은 모양이었다.

금적산이 가볍게 눈살을 찌푸리며 웃었다.

"별것 아니네. 불청객(不請客)이 왔다는군."

9장.

월아원(泧涐園)의 불청객(不請客)들

비명과 고함, 그리고 병장기 부딪치는 소리가 밤공기를 타고 휘몰아쳐 왔다.
사람들의 안색이 급변했다.
그 절규에 가까운 고함과 단말마의 비명으로 짐작하건대,
벌써 중당의 방어진이 무너지고 있는 게 분명했다.

월아원(氵戊 氵我園)의 불청객(不請客)들

1. 반드시 만나야겠어요

"악양의 금해가, 태극천맹의 원로회분들, 그리고 비선의 천소유가 대륙전장의 장주를 뵈러 왔다고 전해 주세요."

천소유는 또박또박 말했다.

그녀가 열거한 이름 하나하나마다 천지를 진동하는 힘을 지니고 있었다. 어지간한 자들이라면 심장이 쪼그라들고 등골이 오싹거려서 제대로 서 있을 수조차 없었을 것이다.

하지만 일개 장원의 정문을 지킬 따름인 월아원의 수문위사들은 한 점 동요의 빛도 없이 무심한 어조로 물었다.

"약속을 하셨습니까?"

천소유는 가늘게 눈을 뜨며 말했다.

"아뇨."

"죄송합니다. 약속하지 않으셨다면 들어갈 수 없습니다. 그리고 설령 약속이 잡히셨다고 하더라도 지금 장주께서는 지금 이곳에 계시지 않습니다."

"거짓말!"

광견이 버럭 소리쳤다.

"그 돈 냄새 구린 작자의 흔적이 이곳 장원으로 이어지고 있다! 그런데 없다는 게 말이나 되느냐?"

수문위사는 침착하게 물었다.

"장주께서 이곳 월아원에 계시는 걸 본 분이 있습니까? 아쉽게도 저는 보지 못했습니다."

광견이 재차 소리치려 할 때, 능운추풍이 앞으로 걸어나와 그를 가로막으며 입을 열었다.

"태극천맹 원로회의 능운추풍이라고 하네."

강호의 밥을 빌어먹고 살아가는 자들 중 능운추풍의 별호를 모르는 이가 있을 리 없었다. 하지만 수문위사는 생전 처음 들어 본다는 표정을 지은 채, '그런데요?' 하는 눈빛으로 능운추풍을 바라보았다.

능운추풍은 속으로 한숨을 내쉬며 말을 이었다.

"지금 내가 이야기하는 건 곧 원로회의 이야기일세. 그리고 태극천맹의 뜻이네. 다시 한번 말할 터이니 반드시 그걸 염두에 두고 듣게. 우리는 대륙전장의 장주를 반드시 만날 것이네. 만약 태극천맹과 원로회, 그리고 오대가문의 뜻을 거스르려면 끝까지 방해해도 좋네."

실로 공포스러울 정도로 위압적인 협박이라 할 수 있었다.

가만히 듣고 있던 수문위사가 한숨을 크게 내쉬며 말했다.

"천하의 태극천맹과 원로회, 오대가문이 일개 수문위사에게 그런 협박을 하는 겁니까?"

능운추풍은 속으로 찔끔거렸다. 안 그래도 그 말을 하면서 내심 '이것 참 좀스럽군그래.' 하는 생각을 하지 않았던 게 아니었다.

그러나 능운추풍은 더욱 냉랭한 목소리로 말했다.

"그만큼 이번 일이 위중하고 중차대하다는 뜻이네."

수문위사는 잠시 능운추풍과 천소유, 그리고 월아원 정문을 포위하듯 에워싸고 있는 백여 명의 추격대를 돌아본 후 고개를 끄덕이며 입을 열었다.

"일개 수문위사의 신분에서는 제대로 감당할 수 없는 일인 것 같습니다. 보다 윗분께 말씀드리겠습니다."

그때였다.

"윗분이 아니라 금적산에게 직접 보고하라!"

성질 급한 태극천맹 고수가 버럭 소리쳤다.

"마음 같아서는 정문을 송두리째 박살 내고 쳐들어가고 싶은 걸 억지로 참는 중이니까!"

다른 고수도 호응했다.

"우리가 정파의 인물인 걸 다행으로 생각하라! 마도의 인물이었으면 벌써 이곳에 있는 모든 자들을 죽이고 안으로 들어갔을 테니까."

수문위사의 눈빛이 차갑게 빛났다. 하지만 그는 곧바로 고개를 숙이며 말했다.

"그리 전하겠습니다."

수문위사는 서둘러 쪽문을 열고 안으로 들어갔다. 다른 무사들이 문을 닫고 재차 천소유들의 앞을 가로막았다. 그들은 이 추격대 백여 명의 절정고수들이 전혀 두렵거나 무섭지 않은 듯했다.

'흐음, 그 황금충(黃金蟲)이 수하들 교육 하나는 제대로 시킨 모양이군.'

능운추풍은 뒷짐을 지며 천소유를 돌아보았다.

"어찌할 계획이신가?"

천소유는 담담하게 대꾸했다.

"금적산이 어떻게 나오느냐에 따라 달라지겠죠."

"끝까지 모습을 드러내지 않는다면?"

"그렇게 나온다면 태극천맹의 힘을 제대로 보여 줘야겠죠."

그녀의 목소리는 부드럽고 담담했다.

하지만 수문위사들에게는 격정의 고함을 지르는 태극천맹 고수들의 위협보다 훨씬 더 두렵고 긴장을 느끼게 만드는 목소리였다.

반각가량의 시간이 흘렀다.

기다리다 지친 태극천맹의 고수들이 "그냥 쳐들어갑시다."라고 웅성거릴 즈음, 쪽문이 열리고 예의 그 수문위사와 인자하게 생긴 노인이 밖으로 나왔다.

노인은 추격대를 보더니 밝은 표정으로 알은척하며 인사했다.

"이야, 이거 다 아는 분들이군요. 오랜만에 뵙습니다, 능운추풍 어르신. 고목대사께서도 계셨군요. 아이고, 운룡신창 어르신과 홍염철검께서도 오셨네요. 이런, 이런. 뵙기 힘든 천호대군께서도 오셨군요. 미리 연락을 주시지 그러셨습니까? 산해진미를 준비하고 환영했을 텐데 말입니다."

노인은 추격대 선봉에 서 있는 노인들을 일일이 호명하며 환하게 웃었다. 그를 알아본 추격대의 노기인들도 눈을 휘둥그레 뜨며 놀랐다.

"아니, 백운유객(白雲遊客)이 아니신가?"

"백운유객이 어떻게 월아원에?"

"십 년 전에 보고 처음 보는구려."

노기인들은 환하게 웃으며 옛 추억을 떠올렸다.

백운유객은 별호에서도 알 수 있듯이 하얀 구름을 벗 삼아 강호를 유람하던 인물로, 지닌 무공보다는 그 특유의 친화력과 사교술로 수많은 인맥을 쌓은 자였다.

한때 붕방이나 태극천맹의 원로회에서 그를 섭외하여 그 인맥을 활용하면 어떨까 하고 진지하게 생각해 본 적이 있는 강호인이기도 했다.

그런 친화력의 대가인 백운유객이 지금 이 월화원에서 무얼 하고 있는 걸까.

"이곳 월아원이 완공된 이후로 총관 노릇을 하고 있습니다. 예전처럼 강호를 유람하기에는 이제 무릎이 아플 나이가 되어서 말이죠."

백운유객은 웃으며 말했다.

"덕분에 또 이렇게 여러 형제들을 다시 만나게 되는군요. 정말 반갑습니다. 역시 오래 살아야 하는 모양입니다."

백운유객의 싹싹한 말에 노기인들의 얼굴이 풀어졌다. 자칫 이곳을 찾은 목적도 잊을 것 같았다.

그래서였다. 천소유의 목소리가 훨씬 더 싸늘하게 가라앉은 까닭은.

"우리는 장주를 만나러 왔어요."

백운유객은 그녀를 돌아보며 고개를 갸웃거렸다.

"죄송하지만 처음 뵙는 것 같습니다."

"비선의 천소유라고 해요."

일순 백운유객의 눈이 휘둥그레졌다.

"아니, 건곤가의 천 아가씨가 아닙니까? 왜, 이 늙은이가 기억나지 않습니까? 천 아가씨가 예닐곱 살 무렵에 한 번 건곤가를 방문한 적이 있었는데 말입니다. 그때부터 천 아가씨가 천상의 아이처럼 귀여우셨는데 이렇게 훌륭하게 장성하셨군요. 실로 감개무량합니다."

백운유객은 심지어 눈물까지 글썽거리며 말했다.

상황이 이렇게 되자 천소유는 난감하게 되었다. 그녀의 어린 시절을 들먹이며, 가문과의 친분을 내세우는 상대 앞에서 함부로 살벌하고 매서운 어조로 말할 수가 없던 것이다.

그러나 천소유는 더욱더 싸늘한 어조로 말했다.

"마지막으로 말씀드리겠어요. 우리는 지금 당장 장주를 만나겠어요."

백운유객은 여전히 눈가를 촉촉이 적신 채 말했다.

"그래, 가주께서는 안녕하시죠? 한번 찾아뵌다 한 게 벌써 수십 년이나 흘렀네요. 세월 정말 빠릅니다."

천소유는 가만히 그를 바라보다가 천천히 입을 열었다.

"힘으로 뚫고 지나갑시다."

일순 원로회의 노기인들과 십팔숙객들의 눈가에 난처한 기색이 스며들었다.

"그래도 말로 설득해 보는 것이……."

운룡신창이 입을 열었지만 천소유는 단호하게 고개를 저으며 냉랭하게 말했다.

"뭣들 하세요! 지금 당장 저 문을 박살 내지 않고서!"

그녀의 지엄한 분부가 내려졌다. 마차 뒤쪽에 머물러 있던 검은 그림자들이 제일 먼저 그 분부에 따라 움직였다. 그들은 지면을 박차고 삼사 장 허공을 날아서 월아문의 굳게 닫힌 정문을 향해 쌍장을 휘둘렀다.

문 앞을 지키고 있던 수문위사들이 피하지 않고 창과 칼을 휘둘러 막으려 했다.

"멈추시게!"

일순 백운유객이 벼락처럼 소리쳤다. 천소유가 손을 들었다. 정문을 향해 폭사해 가던 검은 그림자들이 순식간에 사방으로 흩어졌다.

천소유는 날카로운 시선으로 백운유객을 바라보며 말했다.

"마지막 경고예요. 문을 여세요."

백운유객은 도움을 청하려는 듯 운룡신창을 비롯한 노기인들을 돌아보았다. 노기인들은 헛기침을 하며 애써 고개를 돌렸다. 백운유객은 어깨를 축 늘어뜨린 채 길게 한숨을 내쉬고는 억울하다는 듯이 항변했다.

"무림의 법과 질서를 수호하는 태극천맹분들이 어찌 이렇게 함부로 무력을……."

천소유는 더 이상 들을 이유가 없다는 듯 손을 내저으며 그의 말을 잘랐다.

"그만큼 이번 일이 중대하다고 몇 번이나 말씀드렸어요. 사안이 종료되고 우리가 책임져야 할 일이 있으면 그때는 제 목을 걸고 책임질 겁니다. 그러니 문을 여세요. 우리는 반드시 장주 금적산을 만나야겠어요."

"정 그렇게 나오신다면 어쩔 도리가 없구려."

백운유객은 한숨을 쉬며 말했다.

"목숨을 걸고 귀하들과 맞서 싸울 수밖에."

그 처절하고 결연한 항전(抗戰)의 목소리에, 노기인들의 눈은 절로 휘둥그레졌다.

2. 답답하기는

"한 가지만은 꼭 알아 두시오. 지금 여러분들이 하고 계시는 행동은 저 도적과 강도의 그것과 한 점 다를 바가 없다는 사실을 말이오."

백운유객은 노기인들을 쏘아보며 그렇게 말했다.

안 그래도 천소유가 너무 강행돌파(强行突破)하려는 게 아닌가 하고 저어하던 노기인들은 가볍게 헛기침을 하며 시선을 돌렸다.

그러나 천소유는 냉정했다.

"불과 다섯 명으로 우리 백여 명의 고수들을 막을 생각은 아니겠죠?"

천소유는 그렇게 말하며 손을 들었다. 사방으로 흩어져 있던 검은 그림자들이 바로 자세를 낮췄다. 신호가 떨어지는 즉시 정문을 박살 내고 장원 안으로 뛰어들 기세였다.

백운유객은 탄식하며 말했다.

"우리 목숨을 잃는다 하더라도 어쩔 수 없지 않습니까? 우리에게는 무단으로 침입하고자 하는 자들을 막아야 하는 임무가 있으니 말입니다."

거기까지 말한 백운유객은 갑자기 뒤를 돌아보며 수문위사들에게 말했다.

"모두 무기를 거둬라. 정면으로 부딪쳐 싸워서 이길 수 없는 상대들이다. 괜한 저항은 하지 말자꾸나."

수문위사들은 정문을 막아선 채 무기를 거둬들였다. 그 앞으로 백운유객이 우뚝 서며 처연하게 웃었다.

"여러 형제들, 동도 여러분께 이렇게 작별 인사를 고하게 되어 참으로 안타깝습니다. 훗날 저승에서 만나 술 한잔 나눕시다."

노기인들은 차마 그런 백운유객을 공격할 수 없다는 듯 빠르게 천소유를 돌아보며 설득하려 했다.

"이건 아니라고 보오. 명색이 무림의 정의와 강호의 평화를 수호한다는 우리가 아니오? 이렇게 힘으로 모든 걸 해결하는 건 하오문 놈들이나 할 짓이오."

홍염철검의 말에 운룡신창이 동조했다.

"맞소이다. 도대체 저들이 무슨 죄를 지었기에 목숨을 잃어야 하오? 우리가 잡아 족칠 자들은 무림오적이지, 이곳 장원의 문을 지키는 무사들이나 백운유객이 아니란 말이오."

그들의 말에 동조하는 노기인들이 많았다. 심지어 태극천맹의 고수들 또한 고개를 끄덕이고 있었다.

천소유는 입술을 깨물었다.

그녀의 눈에는 백운유객의 계략이 훤히 들여다보이는데, 그와 친분이 있고 안면이 있는 노기인들은 전혀 그렇지 않은 것이다.

'이런 단순한 읍소(泣訴) 전략이 먹히다니.'

천소유는 속으로 한숨을 내쉬었다.

생각 같아서는 비월의 사자들을 동원하여 저들을 물리치고 정문을 박살 내고 싶었다.

하지만 가뜩이나 그녀에 대한 추격대 고수들의 감정이 좋지 않은 상황에서 그대로 강행돌파를 하게 된다면, 그들에게 내리는 명령과 지시가 먹혀들지 않을 가능성이 있었다.

지금도 그러했다. 비월의 사자들을 제외한 그 누구도 천소유의 지시에 따를 준비를 하지 않고 있었다.

그렇다고 마냥 예서 시간을 보낼 수도 없었다. 금적산과 무림오적이 월아원을 빠져나갈 틈을 줘서는 안 되는 일이었다.

그렇게 천소유가 고민하고 있을 때였다.

추격대 후미에서 한 신형이 갑자기 앞으로 벼락처럼 튀어나오더니 단숨에 백운유객의 어깨를 낚아채서 저 멀리 집어던졌다.

백운유객은 그 갑작스러운 기습에 놀라서 막으려 했지만, 상대의 움직임은 그의 예상보다 빨랐고 힘은 생각보다 훨씬 강했다.

"이건 너무한 게 아닙니까, 멸절사태?"

허공에 던져진 백운유객이 크게 소리치며 겨우 바닥에 착지했다. 그러고는 서둘러 달려와 막으려 했지만 상대, 멸절사태의 움직임은 너무나도 빨랐다.

단번에 백운유객을 집어던진 멸절사태는 곧바로 문 앞에 서 있던 수문위사들의 멱살을 잡고, 소매를 잡으며 풍차처럼 휘둘러 크게 내던졌다.

네 명의 수문위사들은 황급히 창과 칼을 꼬나들고 막으

려 했지만 미처 준비 자세를 취하기도 전에 밤하늘 높이 날아가고 있었다.

"답답하기는."

멸절사태는 한 손을 대문에 댄 채 말했다.

"죽이지 않으면 되는 일이 아니오?"

어깨가 살짝 흔들린다 싶더니 그녀는 대문에 대고 있던 손을 가볍게 밀었다. 일순 한 자 두께의 대문이 쩌억! 소리와 함께 사방으로 금이 가고 균열이 생겼다.

우르르!

멸절사태가 손을 떼는 순간, 대문이 붕괴되듯 무너져 내렸다.

멸절사태는 힐끗 고개를 돌렸다. 막 그녀를 향해 달려오던 백운유객이 화들짝 놀라며 신형을 멈췄다.

그녀는 새하얀 눈빛으로 백운유객을 바라보며 말했다.

"두 번은 봐주지 않을 것이오."

백운유객은 감히 덤벼들 생각을 하지 못했다. 그는 멸절사태의 성격을 잘 알고 있었기에, 한 입으로 두말하지 않는 것도 익히 잘 알고 있었다.

'지금 다시 덤비면 이번에는 죽겠지?'

그걸 알고서도 덤빌 백운유객이 아니었다.

사실 그가 죽음을 각오한 것처럼 행동한 건 저 정파 노기인들의 동정을 사고 마음을 흔들어 놓기 위함이었다.

이런 곳에서 개죽음을 당할 이유가 전혀 없었다. 그의 주인인 금적산 또한 당연히 그렇게 생각할 것이다.

그가 머뭇거리는 동안 멸절사태는 무너진 문을 지나 성큼성큼 안으로 걸어갔다.

노기인들이 고개를 끄덕이며 말했다.

"그렇군. 죽이지 않으면 되는 일이었어."

그들은 왜 그 간단한 걸 생각하지 못했을까 하는 표정을 지으며 서둘러 멸절사태의 뒤를 따랐다. 금해가와 태극천맹 고수들도 그 뒤를 따라 월아원으로 들어섰다.

대문에 들어서자 드넓은 연무장이 펼쳐졌다.

연무장 곳곳에 횃불과 화톳불이 밝혀져 있는 가운데, 미리 준비하고 있었다는 듯이 수백 명의 무사들이 무기를 쥔 채 추격대를 노려보고 있었다.

"흥!"

멸절사태는 가볍게 코웃음을 치며 주위를 둘러보았다.

연무장 양쪽으로는 종각(鐘閣)과 고루(鼓樓)가 우뚝 서 있었는데, 그곳에서 사람들의 기척이 흘러나왔다.

또한 연무장 저편 두 번째 문의 담과 지붕에도 사람들의 기척이 느껴졌다. 백운유객이 시간을 끄는 동안 완벽한 방어진을 갖춘 것이다.

"흥!"

멸절사태는 다시 한번 코웃음을 치고는 성큼성큼 앞으

로 걸어 나갔다.

경비무사들 중 선두에 선 자가 우렁찬 목소리로 외쳤다.

"게서 더 다가오면 절대 용서치…… 컥!"

무사는 말을 하다 말고 갑자기 신음을 내지르며 바둥거렸다. 순간적으로 십여 장의 거리를 좁히고 짓쳐들어온 멸절사태에게 멱살을 잡힌 것이다.

멸절사태는 무사를 높이 들어 올렸다가 경비무사들의 한복판으로 집어 던졌다. 경비무사들이 당황해하며 그를 받느라 한순간 방어진이 흐트러졌다.

멸절사태는 그 틈을 놓치지 않았다. 그녀는 거침없이 전진하며 선장(禪杖)을 휘둘러 경비무사들의 허벅지를 때리고 종아리를 쳤다.

박달나무로 만든 선장에 얻어맞는 순간 경비무사들은 그 고통을 참지 못하고 픽픽 나가떨어졌다.

물론 경비무사들도 가만있지는 않았다. 그들은 멸절사태를 향해 전력을 다해 칼을 휘두르고 창을 찔러 왔다.

멸절사태는 창을 낚아채서 칼을 막아 내고, 튕긴 칼을 걷어차 경비무사들의 방어진을 향해 날렸다. 화살처럼 날아드는 칼에 놀란 경비무사들이 황급히 몸을 피했다. 멸절사태는 그렇게 생긴 공간을 향해 유유히 걸어 나갔다.

그녀에 대한 소문만 들어왔던 추격대 고수들은 입이 떡 벌어졌다.

지금 멸절사태가 보여 주는 움직임은 그야말로 천하제일의 신위였다. 단 한 명의 멸절사태에 의해 수백 명의 경비무사들이 만든 방어진이 속수무책으로 허물어지고 있었다.

놀란 건 태극천맹이나 금해가 고수들뿐만이 아니었다. 운룡신창도 휘둥그레 눈을 뜬 채 중얼거렸다.

"허어, 멸절사태의 무위가 저 정도였다니……."

곁에 서 있던 홍염철검이 말을 받았다.

"어쨌든 멸절사태는 무림십왕에 이름이 오른 건 아니지만 그들에게 가장 가까운 무위를 보여 주는 이들 중 한 명이니까 말이오."

"자, 이러고 있을 때가 아니오!"

능운추풍이 사람들을 독려했다.

"최대한 살생을 피하면서 전진합시다! 무림오적이 저 안에 있을 것이오!"

그의 중후한 목소리가 밤하늘 멀리 퍼졌다.

백여 명의 추격대가 일시에 움직였다. 멸절사태에 의해 허물어진 방어진은 절대 그들을 막을 수가 없었다.

뒤늦게 종각과 고루에서 화살이 쏘아졌다. 두 번째 문의 지붕과 담에서도 수백 발의 화살이 날아들었다.

하지만 이미 때는 늦었다. 추격대는 어느새 방어진을 헤집고 두 번째 문 앞에 당도했다. 그들에게 있어서 사오장 높이의 담은 아무런 문제도 되지 않았다.

가볍게 지면을 박차고 허공 높이 솟구친 그들을 향해 비 오듯 화살이 쏟아졌지만, 그들은 우아하고 날렵한 모습으로 화살 세례를 피하면서 지붕 위로, 담장 위로 날아올랐다.

지붕과 담장에 배치된 궁수들은 당황하여 무기를 빼 들지도 못한 채 활을 휘둘러 대항했다. 추격대 고수들은 무기도 빼 들지 않은 채 손과 발을 이용하여 궁수들을 때려 눕혔다.

"컥!"

"헉!"

궁수들은 저마다 짧은 비명과 신음을 토해 내며 앞으로 고꾸라졌다.

사실 경비무사들과 궁수들의 실력은 결코 약한 편이 아니었다. 그들은 하나같이 강호에서 나름대로 일류 고수 소리를 듣는 자들이었다.

하지만 추격대 고수들은 그들보다 최소한 두어 단계 위의 고수들이었다. 비록 그들에게 죽이지 않으며 싸운다는 제약이 있다 하더라도 경비무사들로서는 절대 추격대 고수들을 막아 낼 수가 없었다.

그렇게 두 번째 문의 방어진은 삽시간에 뚫렸다.

3. 이런 제기랄

연무장의 비명과 함성은 내당 깊숙한 곳까지 들려왔다. 강동에서 온 손님들은 느닷없이 들려온 비명과 고함소리에 깜짝 놀란 표정을 지었다.

하지만 금적산은 별일 아니라는 투로 말했다.

"초대받지 못한 불청객들이 소란을 피우는 모양이군그래. 나를 만나기 위해서 이렇게 가끔 난동을 부리는 자들이 없지 않다니까."

강만리가 입을 열었다.

"하지만 한낱 불청객의 소동이라고 치부하기에는 점점 더 비명 소리가 가까워지고 있군요."

"하하하. 걱정하지 말게. 내 아이들, 그렇게 만만한 녀석들이 아니니까."

금적산은 껄껄 웃으며 말했다.

"외당을 지키는 아이들은 사실 일류급의 실력들이라 어중간하다고 할 수 있겠지만, 중당부터는 다르다네. 중당은 당경급의 무위를 지닌 자들이 경비를 서고 있고 내당은 노경급의 실력자들이 지키고 있네. 이곳 내당만큼은 내가 하나하나 엄선해서 뽑은 자들이지."

'하지만 상대는 최소한 문경급 고수들입니다.'

강만리는 그렇게 말을 하려다가 입을 꾹 다물었다.

그는 금적산이 말하고 있는, 초대받지 못한 불청객이라는 이들이 누구인지 이미 잘 알고 있었다.

며칠 전 구릉 위에서 자신들을 내려다보던 금해가와 태극천맹의 추격대. 바로 그들이 예까지 쫓아 온 것이리라.

'이것 참 골치 아프게 되었군. 마냥 금적산만을 믿고 있기에는 상황이 좋지 않은데.'

강만리는 그런 생각을 하면서 동료들을 돌아보았다.

마침 장예추가 그를 바라보고 있다가 시선이 마주쳤다. 강만리가 눈살을 찌푸리자 장예추는 고개를 끄덕였다. 아무 말도 나누지 않았지만, 그들은 서로 무슨 생각을 하고 있는지 아는 듯했다.

장예추가 자리에서 일어났다.

사람들의 시선이 일제히 그에게로 쏠렸다. 장예추는 차분한 어조로 말했다.

"속이 좋지 않아서 잠깐 다녀오겠습니다."

"하하하. 기름진 음식은 그게 탈이라니까."

금적산이 껄껄 웃으며 말했다.

"어서 다녀오게. 아, 냄새는 지우고 돌아오게나."

그의 지저분한 농담에 몇몇 사람들이 인상을 찌푸렸지만 이내 표정을 펴고 어색하게 웃었다. 어쨌든 다른 사람도 아닌 금적산의 농담인 게다. 받아 줄 수밖에 없는 농담이었다.

장예추는 인사를 하고 정자를 빠져나갔다. 나찰염요도 자리에서 일어났다. 금적산의 눈이 커졌다.

"부인도?"

나찰염요는 눈을 흘기며 말했다.

"꽃이나 보러 가는 거랍니다."

"아, 그렇군. 다녀오시구려."

나찰염요는 담호를 돌아보며 다정하게 말했다.

"엄마랑 같이 가자꾸나."

담호는 머뭇거렸다. 측간을 가는데 굳이 함께 가야 할 이유가 없었다. 담우천이 고개를 끄덕이며 말했다.

"같이 가렴. 네 엄마가 길을 잃고 헤매지 않도록 잘 안내해 주고."

"알겠습니다, 아버지."

그제야 담호는 자리에서 일어났다.

나찰염요는 담호와 함께 몸을 돌려 수상길로 향했다. 금적산은 살랑거리며 움직이는 나찰염요의 풍만하면서도 탱탱한 엉덩이에서 시선을 떼지 못했다.

그때였다.

"막아라!"

"죽여라!"

"으아악!"

비명과 고함, 그리고 병장기 부딪치는 소리가 밤공기를

타고 휘몰아쳐 왔다. 사람들의 안색이 급변했다. 그 절규에 가까운 고함과 단말마의 비명으로 짐작하건대, 벌써 중당의 방어진이 무너지고 있는 게 분명했다.

언제나 무사태평의 금적산도 처음으로 안색이 변했다.

"흐음, 당경급 고수 삼백 명이 막지를 못하는 건가?"

그는 중얼거리다가 하인을 불러 뭔가 지시를 내렸다. 하인들이 우르르 빠져나갔다. 지켜보고 있던 사람들의 불안감이 더욱 가중되었다.

그걸 본 금적산이 눈살을 찌푸리며 말했다.

"허어, 그렇게 날 믿지 못하시는가?"

그러자 항주의 소병춘이라는 중년인이 황급히 두 손을 내저으며 말했다.

"아닙니다. 어찌 장주를 믿지 못하겠습니까?"

"당연하지. 천하에 그 누가 감히 나, 홍진보를 건드릴 수 있겠는가?"

금적산은 가슴을 내밀며 말했다.

"그대들은 나, 홍진보의 손님들이네. 무슨 일이 있더라도 반드시 그대들의 안위를 지켜 줄 터이니 전혀 걱정하지 않으셔도 되네."

그의 장담에 사람들은 안도의 표정을 지었다.

하지만 중당에서의 비명이 점점 크게 들려오고 자주 들려오자, 일말의 불안감은 감출 수 없는 듯 그들은 서로를 초조한 눈빛으로 돌아보았다.

"어허, 염려 붙들어 매라니까."

금적산을 시녀들이 따라 주는 술을 마시며 호언장담했다.

"내당을 지키던 이들까지 모두 보냈네. 그들이라면 설령 상대가 천상의 신장(神將)들이라 하더라도 반드시 막아 낼 것이네. 무려 당경급 고수 삼백과 노경급 고수 백오십이네. 불과 백여 명의 숫자로 저들을 뚫어 낼 수 있을 것 같은가?"

그의 말에 소병춘이 놀라 물었다.

"불청객의 수가 백여 명이나 됩니까?"

강동의 호족이라는 자도 다급하게 물었다.

"백 명이 넘는 고수를 동원하다니, 설마 지금 불청객이라는 자들이 태극천맹의 인물들이라도 되는 겁니까?"

금적산은 태연하게 대꾸했다.

"음? 미처 말씀드리지 않았나? 확실히 저 불청객들은 태극천맹 사람들이지. 거기에 금해가 소속의 무사들도 합류했겠고."

강동에서 온 손님들은 대경실색했다.

그들은 곧 서로를 돌아보며 눈빛을 교환하였다. 그렇게 의중(意中)을 나눈 그들은 이내 딱딱하게 굳은 낯으로 금적산을 바라보며 자리에서 일어났다.

금적산이 고개를 갸웃거리며 그들을 쳐다보았다.

"미안합니다. 급한 용무가 있다는 걸 깜빡 잊고 있었지 뭡니까?"

"죄송합니다. 오늘 내로 처리할 계약이 있다는 걸 이제야 떠올렸습니다."

손님들의 변명을 들으며 금적산은 피식 웃었다.

"이런, 이런. 내가 사람을 잘못 본 모양이로군그래."

그는 서늘한 눈빛으로 강동의 손님들을 둘러보며 말했다.

"지금 떠나는 거야 아무 문제가 없지만, 그건 앞으로나 홍진보와의 모든 거래를 중단하겠다는 의미이겠지?"

손님들은 서로를 바라보며 머뭇거렸다. 망설이던 소병춘이 결심한 듯 입을 열었다.

"대륙전장과 장주와의 인맥처럼 소중하고 귀한 게 또 어디 있겠습니까? 하지만 그 인연과 인맥도 결국에는 우리가 살아 있어야 쓸모가 있는 것이니까요."

"귀하들의 안위는 내가 보장한다니까?"

"죄송합니다. 구파일방이나 신주오대세가라면 모르겠지만 상대가 태극천맹인 이상, 장주의 보장을 믿을 수가 없습니다."

"이렇게 떠나는 게 부끄럽기는 하지만 그래도 오랜 충정(忠情)으로 고언(苦言)을 올리겠습니다. 태극천맹과 척을 지시면 안 됩니다."

강동의 손님들이 한마디씩 하려 하자, 금적산은 귀찮다는 표정을 지으며 손을 휘둘렀다. 손님들이 입을 다물었다.

금적산은 늘어지게 하품을 하며 말했다.

"거치적거리니 얼른 내 앞에서 사라지게."

손님들이 망설였다. 금적산을 냉랭하게 말을 이었다.

"만나서 반가웠네. 하지만 앞으로 두 번 다시 아는 척하지 마시게. 뭣들 하느냐, 이자들을 후문 밖으로 쫓아내지 않고."

그는 꺼지라는 듯이 아무렇게나 손을 휘저었다. 그 치욕스러운 동작에 강동의 손님들은 입술을 깨물었다. 시녀 두 명이 정자 밖으로 걸어 나가 그들을 기다렸다.

"죄송합니다. 연이 닿으면 훗날 다시 뵙죠."

강동의 손님들은 강만리 일행을 향해 인사를 하고는 서둘러 수상길을 빠져나갔다.

"세상이 바뀐 지가 언제인데."

금적산이 투덜거렸다.

"아직도 태극천맹을 두고 저리 겁을 내다니, 어찌 그러고도 감히 천하를 논하려 드는가. 안 그런가, 형제들?"

금적산은 강만리 일행을 돌아보며 미소를 지었다. 강만리는 대답 대신 화제를 돌렸다.

"싸움이 멈춘 모양입니다."

"음?"

금적산은 눈을 동그랗게 뜨고 중당 쪽으로 고개를 돌렸다. 그러고 보니 쉬지 않고 들려오던 병장기 부딪치는 소리와 비명, 함성이 전혀 들리지 않았다.

"오호! 이제 끝난 게로군."

금적산은 손뼉을 치며 웃었다.

"그 겁쟁이들, 조금만 더 참고 기다렸다면 우리가 이긴 걸 알 수 있었을 텐데 말이지. 나와의 인연을 끊지 않아도 되었을 것일 테고 말이야. 아니지."

금적산은 이내 고개를 저었다.

"덕분에 그 겁쟁이들이 나와 한자리에 앉아서 천하를 논할 자격이 없다는 걸 알게 되었으니 외려 옥석(玉石)을 가리게 되어서 천만다행이라고 해야겠군그래."

강만리는 가만히 그를 바라보다가 천천히 입을 열었다.

"아무래도 그 겁쟁이들의 선택이 옳았던 것 같습니다."

"응? 그건 또 무슨 소리인가?"

금적산이 놀라 물었다. 강만리는 말없이 고개를 돌렸다. 금적산도 그가 바라보는 곳으로 시선을 향했다.

중당에서 내당으로 이어지는 월동문(月洞門). 그 문을 통해 십여 명의 사람들이 막 내당으로 들어서고 있었다. 어둠에 가려져서 제대로 보이지는 않았지만 상당한 격전을 치르고 온 듯, 대부분 사람들의 옷은 피로 얼룩져 있었다.

금적산은 그들을 자신의 수하들이라고 생각한 듯 활짝 웃으며 반겼다.

"그래, 다들 죽였나?"

선두에 선 자가 불빛 안쪽으로 걸어 들어오며 냉랭하게 말했다.

"단 한 명도 죽이지 않았소."

금적산의 눈이 휘둥그레졌다. 그는 불빛 아래로 천천히 걸어온 자들의 얼굴을 확인하고는 이내 인상을 찌푸렸다.

"이런 제기랄."

그의 입에서 한마디 욕설이 절로 튀어나왔다.

10장.

너무 얕본 게다

의기는 곧 정의감에서 우러나는 기개를 뜻하며
곧 협의(俠義)와 일맥상통하는 단어였다.
약자를 구하고 곤궁한 자를 보살피며
동료를 위해 목숨을 던질 수 있는 의협(義俠)의 정신.
지금 금적산에게서 그 의협의 기개가 풍겨 나오고 있었다.

너무 얕본 게다

1. 잘했다, 애야

담호는 고개를 갸웃거렸다.

'여긴 측간으로 가는 길이 아닌데?'

그는 달리듯 빠른 속도로 걸어 나가는 나찰염요의 뒤를 따르며 생각했다.

'급하신 모양인데, 아무래도 길을 착각하신 것 같다.'

담호는 서둘러 나찰염요 가까이 다가가 입을 열었다.

"측간은 반대쪽에 있어요, 어머니."

"음?"

나찰염요는 엉뚱한 소리를 들었다는 듯한 얼굴로 담호를 돌아보고는 이내 "아." 하며 방긋 웃었다.

"측간을 가려는 게 아니란다."

"네? 하지만 조금 전에 분명 꽃을……."

담호는 살짝 낯을 붉히며 말꼬리를 흐렸다. 나찰염요는 그런 담호가 귀여워서 어쩔 줄 모르겠다는 듯한 표정을 지으며 그의 머리를 쓰다듬었다.

"그야 그 자리를 빠져나오기 위한 거짓말이었지."

"거짓말이셨어요? 전혀 몰랐어요."

"그래. 원래 여자란 거짓말에 능한 법이란다. 잘 기억해 두렴, 아들아."

"그럼 어디로 가는 중이세요?"

"약당."

"약당이요?"

담호의 눈이 재차 휘둥그레졌다. 전혀 뜻밖의 장소가 나찰염요의 입에서 흘러나온 까닭이었다.

나찰염요는 약당으로 이어지는 길을 따라 부지런히 걸으면서 이야기했다.

"아까 네 장 숙부가 우리보다 먼저 일어났지?"

"네. 속이 좋지 않다고 하셨죠, 아마?"

"그것도 거짓말이었단다. 아마 도련님도 약당을 찾아갔을 거야."

"아, 장 숙부도 거짓말을 하신 건가요?"

"그래. 제대로 된 어른이라면 그렇게 태연하게 거짓말

을 할 줄 알아야 하지. 너도 잘 배워 두렴."

담호는 살짝 낯을 찌푸렸다.

'여자도, 어른도 다 거짓말을 한다는 거네, 결국.'

나찰염요는 문득 귀를 쫑긋거렸다. 중당 쪽에서 비명이 희미하게 들려왔다. 그녀는 빠른 어조로 담호에게 물었다.

"서둘러야겠다. 따라올 수 있겠니?"

"네, 어머니."

"좋아."

나찰염요는 고개를 끄덕였다. 동시에 그녀는 지면을 박차고 경공술을 펼쳤다. 그녀의 신형이 순식간에 월동문을 지나쳐 사라졌다.

담호도 망설이지 않고 경공술을 발휘했다. 그의 가벼운 신형이 훨씬 더 가벼워졌고, 한 번 지면을 박차자 이삼 장 높이까지 단숨에 뛰어올랐다.

담호는 허공에서 몸을 틀어 방향을 바꾸고는 그대로 밤하늘을 날았다. 곤륜파의 제자들이 봤다면 깜짝 놀랄 정도로, 곤륜대팔식의 경공술이 완벽하게 펼쳐지고 있었다.

허공을 날다가 기력이 떨어지면 담호는 지붕을 밟고, 혹은 나뭇가지를 밟으며 그 탄력을 이용해 다시 허공을 날았다. 순식간에 그는 약당 앞마당이 이르렀다.

담호는 속도를 조절하여 천천히 앞마당으로 착지했다. 나찰염요는 약당 안으로 들어서고 있었다. 담호가 서둘러 그녀의 뒤를 따라 약당으로 들어섰다.

그때였다.

"안 됩니다!"

약당 안쪽의 방에서 청년의 단호한 목소리가 들려왔다.

"지금 그들을 데리고 간다는 건 곧 치료를 포기하겠다는 뜻입니다. 그들을 죽이려는 겁니까?"

그에 맞서는 또 다른 청년의 목소리도 이어졌다.

"상황이 급하게 되었습니다. 느긋하게 치료할 때가 아니라는 겁니다."

'장 숙부다.'

담호는 그 목소리의 주인이 장예추임을 알아차렸다. 지금 장예추는 이 약당의 젊은 당주와 맞서 뭔가를 다투고 있는 모양이었다.

담호는 서둘러 방으로 달려갔다.

알고 보니 그 방은 화군악과 초유동을 치료하는 곳이었다. 지금 그곳에는 두 명의 청년이 얼굴을 맞댄 채 말싸움을 하는 중이었으며, 서너 명의 의생들과 유 노대와 만해거사, 그리고 초목아가 침상 주변에 선 채 난감한 기색으로 그 광경을 지켜보고 있었다.

그 와중에 나찰염요와 담호가 들어온 것이다.

"죄송합니다만."

나찰염요가 끼어들었다.

"상황의 여의치 않게 되었어요. 치료는 예서 중단하고 서둘러 이곳을 빠져나가야 할 것 같아요. 그러니 이해해 주시기 바라요."

그녀의 말에 젊은 약당주의 눈매가 매섭게 휘어졌다.

담호는 약당주의 얼굴을 쳐다보았다. 월아원에 온 지 이틀이 지났지만 처음 보는 얼굴이었다.

동글동글한 외모에 순진해 보이고 착한 인상의 삼십 대 초반으로 보이는 청년이었다. 누구의 말이라도 잘 들어줄 것만 같은 인상. 그러나 지금 그 청년은 단호하게 나찰염요와 장예추의 말을 거절했다.

"다시 한번 말씀드리지만 지금 이 상황에서 치료를 중단하고 여행을 떠난다는 건 이들 두 분을 죽이는 일과 다름이 없습니다. 의생 된 자로서 그건 절대 허락할 수 없습니다."

"아니. 이보세요, 약당주."

나찰염요의 목소리가 높아졌다.

"우리는 지금 그대의 허락을 받고자 하는 게 아니에요."

그녀의 목소리에 서늘한 기운이 스며들었다. 유 노대가 당황한 듯 애써 웃으며 입을 열었다.

"허허, 그렇다고 살기까지 내보일 필요는 없을 것 같은데."

"아니, 어쩜 이렇게 꽉 막힌 거죠? 나이도 한참 젊은데 말이에요."

"내가 치료하지 않았으면 모르되, 한 번 손을 댄 이상 이 두 환자의 생사를 끝까지 책임져야 하기 때문입니다. 그게 제대로 된 의생의 자세라고 배워 왔고요."

약당주는 절대로 지지 않고 나찰염요와 맞섰다. 아무래도 무력을 동원해야 끝날 것 같은 분위기였다.

그때, 잠자코 이야기를 듣고 있던 담호가 한 걸음 나서며 입을 열었다.

"그럼 약당주께서 우리와 함께 가시면 되겠네요."

갑작스러운 담호의 말에 사람들의 시선이 모두 소년에게로 쏠렸다. 담호는 당황하지 않고 침착하게 말을 이었다.

"화 숙부와 초 어르신의 생사를 끝까지 책임지셔야 한다면서요? 하지만 우리는 지금 당장 이곳을 반드시 떠나야 하고요. 그럼 해결책은 오직 하나, 약당주께서 우리와 함께 이곳을 떠나서 계속 두 어르신을 치료하는 것밖에 없을 것 같은데요."

"흐음."

만해거사가 고개를 끄덕이며 말했다.

"그것참 좋은 해결책이로구나. 그래, 그리하면 되겠다."

나찰염요와 장예추도 반색했다. 유 노대와 초목아도 좋은 생각이라는 듯 연신 고개를 끄덕였다.

반면 약당주는 당황해하며 입을 열었다.

"하지만 저는 이곳 약당의……."

그가 말을 채 잇기도 전에 나찰염요가 말을 가로챘다.

"설마 약당주의 자리가 병자의 목숨을 구하는 것보다 중하다는 말씀은 아니겠지요?"

"아니, 그게 아니라…… 지금 이곳에는 제가 보는 병자들이……."

약당주가 쩔쩔매며 말할 때 이번에는 장예추가 그의 말을 자르고 나섰다.

"반드시 약당주가 있어야만 치료가 가능한 병자들입니까? 여러분들도 그리 생각하십니까?"

장예추는 방 안에 있던 다른 의생들을 돌아보며 물었다. 의생들은 당황한 기색이 역력한 얼굴로 황급히 고개를 저었다. 장예추는 그들을 뚫어지게 바라보며 재차 물었다.

"여러분들만으로 충분한 거죠? 이 약당은 말입니다."

이번에는 의생들이 황급히 고개를 끄덕였다.

사실 장예추가 무시무시한 살기를 띤 채 자신들을 노려보며 그렇게 확정적으로 물어보는데 감히 어느 누가 아니라고 고개를 저을 수 있겠는가.

장예추는 어깨를 으쓱거리며 약당주를 돌아보았다.

"그럼 결정된 겁니다. 약당주께서 우리와 함께 움직이는 걸로 말입니다."

"하, 하지만……."

"만약 거절하시겠다면 우리도 더 이상 예서 시간을 지체하지 않겠습니다. 약당주를 때려눕혀서라도 저들을 데리고 나갈 겁니다."

장예추의 으름장에 약당주는 당황하여 어찌할 바를 몰라 하며 애꿎은 의생들만 노려보았다. 이틀 동안 그 의생들과 제법 친해진 만해거사가 그들의 옆구리를 툭 치며 눈을 찡긋거렸다.

의생 한 명이 용기를 얻은 듯 조심스럽게 입을 열었다.

"이곳은 우리가 책임지고 운영할 터이니 당주께서는 이분들 말씀을 따르시는 게 낫지 않을까 싶습니다. 당주께서 조금만 더 치료하면 반드시 두 사람 모두 살릴 수 있는 상황이니까 말입니다."

약당주는 입술을 깨물며 고민하다가 결국 항복한다는 듯이 두 손을 높이 들며 말했다.

"알겠습니다. 그리하죠. 대신 장주께는 여러분들께서……."

"말씀드리겠습니다."

장예추가 빠른 어조로 대답했다. 약당주는 가볍게 한숨을 내쉰 다음 의생들을 돌아보며 지시를 내렸다.

"그럼 그대들은 지금 당장 필요한 약재와 기구들을 준비하라. 열흘 치……."

장예추가 다시 끼어들었다.

"넉넉하게 한 달 치로 잡죠."

약당주는 다시 한번 한숨을 쉬고는 의생들에게 말했다.

"한 달 치 약재들이다."

"알겠습니다."

의생들이 빠르게 움직였다. 약재를 모으고 기구를 챙기고, 화군악과 초유동을 위한 들것을 챙겨 왔다. 그들은 잘 훈련된 병사처럼 움직임에 낭비가 없었고 해야 할 일들을 정확하고 신속하게 하고 있었다.

그 광경을 지켜보던 나찰염요가 문득 담호의 등을 쓰다듬었다. 마치 '잘했다, 얘야.'하고 말하는 듯한 손놀림이었다.

담호의 가슴이 뿌듯해졌다.

2. 개 같은 년

십여 명이 전부가 아니었다.

앞서 월동문을 통과하여 내당으로 걸어 들어온 십여 명의 노인들을 필두로, 계속해서 월동문을 지나쳐 내당으로 들어서는 무인들이 있었다.

그들 모두 상당한 격전을 치른 듯 하나같이 피투성이가 된 채 피곤한 기색이 역력했다. 막 월동문을 통과하던 태극천맹의 고수 한 명이 투덜거렸다.

"젠장, 한 명도 죽이지 말라는 개 같은 명령만 아니었더라도 이렇게까지 아군이 크게 당하지는 않았을 거라고."

곁에 있던 동료가 말렸다.

"쉿. 다 듣겠네."

"들으라고 하는 소릴세. 적은 목숨을 걸고 덤비는데 우리는 놈들이 죽을까 봐 제대로 싸우지도 못했네. 그 바람에 외려 아군이 죽거나 크게 다쳤지. 그런 개 같은 명령만 아니었더라면 별다른 피해 없이 보다 더 빠르고 완벽하게 놈들을 제압했을 것이야."

아닌 게 아니라 월동문 안으로 들어서는 숫자는 오십여 명에서 멈췄다. 나머지 오십여 명의 추격대는 중당의 전투 때 중상을 입거나 혹은 목숨을 잃어서 내당으로 넘어오지 못한 것이다.

마침 태극천맹의 고수들 곁을 지나쳐 내당으로 들어선 천소유의 얼굴은 그 어느 때보다도 딱딱하게 굳어져 있었다.

아닌 게 아니라 중당의 전투 와중에 자신의 명령을 철회하고 전력으로 싸우게 했어야 하나 하는 후회와 자책이 가득 차 있는 얼굴이었다.

'생각보다 훨씬 저항이 거세고, 또 고수들의 수가 많았어.'

무림의 명문(名門)도 아닌, 일개 거부(巨富)의 장원에서 사백 명이 훨씬 넘는 일류 고수 이상급의 무사들이 튀어나올 줄이야. 그건 마치 소림사나 무당파 같은 거대 문파의 모든 제자와 싸우는 듯했다.

그 와중에 끝까지 저들을 죽이지 않으려고 애쓴 추격대 고수들이 놀랍고 대단할 따름이었다.

'내 고집만 아니었더라도 이렇게 큰 피해는 없었을 텐데…….'

천소유가 속으로 한숨을 내쉴 때였다.

"개 같은 년의 개 같은 명령 때문에 왜 그 녀석들이 죽어야 하냐고!"

누군가 그녀의 등 뒤에서 욕설을 퍼부었다. 아마도 동료나 친한 벗을 잃은 고수였을 것이다.

천소유는 입술을 꽉 깨문 채 정면을 주시하며 걸었다.

'하지만 한 명이라도 죽이면 우리의 명분이 사라지니까. 그리고 이 빚은 금적산에게 톡톡히 받아 내면 되니까.'

그렇게 결의를 다지는 천소유의 곁으로 광견이 은밀하게 다가와 소곤거렸다.

"저 정자에 모여 있습니다."

천소유는 호수처럼 넓은 연못 중앙에 있는 정자로 시선을 돌렸다. 제법 거리가 멀고 어두웠지만 그 정자의 탁자에 모여서 식사를 하는 이들을 확인할 수가 있었다. 그들을 바라보던 천소유의 눈빛이 파르르 떨렸다.

'없어.'

장예추의 모습이 보이지 않았다.

도망간 것일까. 아니면 애당초 이 무리와 합류하지 않았던 것일까.

일순 온갖 생각이 한꺼번에 떠올라 천소유의 머릿속이 헝클어졌다. 그녀는 가볍게 고개를 저으며 잡념을 지워냈다.

'지금은 금적산과 저자들에게 집중하자.'

개인의 복수를 생각하기에는 흘린 피가 너무 많았다. 지금은 비선의 선주이자 이 추격대 책임자의 임무를 수행하여야 할 때였다.

정자로 이어지는 수상길 입구에는 십여 명의 노인이 우뚝 서 있었다. 멸절사태와 홍염철검, 운룡신창과 능운추풍 등의 원로회 노기인들과 천호대군, 고목대사 등 금해가의 인물들은 살기 등등한 눈빛으로 정자를 쏘아보면서 천소유를 기다리고 있었다.

그녀가 수상길 앞에 이르자, 고목대사가 말을 건네 왔다.

"나오라 하겠소, 아니면 바로 쳐들어가겠소?"

"어느 쪽이든 상관없어요."

천소유는 정자를 주시하며 말했다.

"어쨌든 저들 모두 사로잡을 테니까."

"뜻대로 하시기를."

고목대사는 살짝 고개를 숙이며 물러났다.

천소유는 가볍게 호흡을 가다듬은 뒤, 수상길 저편의 정자를 향해 입을 열었다.

"대륙전장의 장주 금적산은 들으세요."

담담하지만 한없이 차가운 목소리가 그녀의 입에서 흘러나왔다.

"태극천맹과 오대가문에 반기를 든 채 무자비한 살육을 벌여 온 무림오적을 우리에게 내주세요. 그렇지 않으면 귀하는 물론 대륙전장 자체가 송두리째 무너질 테니까요. 비선의 선주이자 건곤가의 후예인 천소유라는 이름을 걸고 맹세하겠어요."

그녀의 서늘한 목소리는 밤바람을 타고 수상길을 넘어서 정자까지 흘러들었다.

* * *

'이런.'

월동문 안으로 들어서는 이들을 확인하면서부터, 홍진보의 얼굴은 추악할 정도로 크게 일그러져 있었다.

믿을 수 없는 일이었다. 그가 자랑하고 자신만만해했던 방어진이 속수무책으로 뚫린 것이다.

외당을 지키던 무사들이야 그렇다 치자. 하지만 중당의 삼백 명과 내당의 백오십 고수는 여느 거대 문파의 전력과 비교해도 절대 뒤떨어지지 않았다.

사실 금적산은 자신의 이 전력으로 무당파나 소림사를 상대로도 싸워 이길 수 있다고 자신했다.

당연한 일이었다. 구파일방의 당주에 해당하는 당경급 고수가 무려 삼백이었다. 거기에 장로에 해당하는 노경급 고수도 백오십이나 되었다.

어느 문파에서 그만한 실력을 지닌 제자들을, 사오백 명이나 키워 낼 수 있단 말인가.

물론 금적산도 아쉬워하는 부분이 없지 않았다. 재력과 인맥으로 끌어들인 고수는 어디까지나 한계가 있을 수밖에 없었다. 무엇보다 구파일방의 장문인급에 해당하는 문경(門境) 그 이상의 고수가 자신의 휘하에 없다는 것이

늘 마음에 걸렸던 참이었다.

그래서였다. 악양 동정호 화선에서 강만리 일행이 싸우는 모습을 보고 홀딱 반하게 된 것은.

바로 그들이야말로 금적산에게 부족했던 조각 하나를 메워 줄 수 있는 존재들이었다. 문경 이상의 고수, 그것도 최소한 서너 명 이상의 초절정고수. 그들만 자신의 휘하로 끌어들인다면, 구파일방은 물론 오대가문이나 태극천맹도 두려워하지 않게 되는 것이다.

거기에다가 매년 후원금의 명목으로 태극천맹과 오대가문에게 바치는 수만금(數萬金)의 조공 역시, 더는 빼앗기지 않아도 되는 것이다.

즉, 강만리 일행을 포섭하는 것으로 금적산은 천하에 군림할 수 있는 재력과 무력을 양손에 쥐게 되었다.

그래서였다. 굳이 태극천맹과 금해 가와 척지면서까지 강만리 일행을 제 품으로 끌어안으려 했던 것은.

하지만 그건 착각이었다.

태극천맹과 금해가에 대한 과소평가였으며 금적산 자신에 대한 자만심과 과대평가였다.

저 천소유라는 계집이 끌고 온 백여 명의 추격대는 태극천맹과 오대가문의 일부에 불과한 전력이었다. 태극천맹의 원로회와 오대가문 중 하나인 금해가, 거기에 태극천맹 지부와 호광성전에서 일부 추린 백여 명의 고수에

불과했다.

그러나 그 백여 명 중 최소 절반가량이 문경급 이상의 절정고수들이었다. 문경급 고수 한 명이 노경급 고수 열 명을 상대한다는 속설(俗說)을 따르자면, 그 오십 명의 고수들만으로도 충분히 금적산의 무사들을 상대할 수 있었다.

'너무 얕본 게다, 태극천맹과 오대가문을.'

금적산은 빠르게 머리를 굴렸다.

'하지만 아직 만회할 기회는 남아 있다. 이자들이라면 어쩌면 저 지치고 부상을 당한 노인네들을 한꺼번에 싹 쓸어버릴지도 모른다.'

금적산의 재력과 인맥이라면 또다시 수많은 고수들을 영입할 수 있으리라. 지금까지 모은 고수들보다 더 많은, 더 강한 자들로 꾸리면 그때는 태극천맹과 오대가문에게 눌리지 않을 것이다.

금적산은 희망을 버리지 않았다.

그래서였다. 아직도 금적산이 활짝 웃는 낯으로 천소유를 향해 말하는 여유가 있었던 것은.

"나도 한마디 하지."

금적산은 호탕한 목소리로 말했다.

"주인의 허락도 받지 않고 함부로 쳐들어온 죄! 도둑과 강도를 막으려 필사적으로 싸운 수하들을 해치운 죄! 그리고 감히 내 앞에 나타나 만찬의 여흥을 없앤 죄! 내 태극천맹과 금해가와 건곤가의 체면을 생각해서 이번 한 번만큼은 그 모든 죄를 눈감아 줄 터이니 썩 물러들 가시게!"

원로회의 노기인들은 내심 감탄했다.

'인물은 인물이로구나.'

확실히 지금의 금적산에게서는 대륙전장을 지배하는 자다운 배포와 위엄이 뿜어져 나왔다.

천소유는 가늘게 눈을 뜨며 외쳤다.

"본 맹과 금해가와 본 가의 체면을 생각한다면 장주 앞에 앉아 있는 자들을 내주시면 됩니다! 그럼 장주께 사과하고 깨끗하게 물러날 테니까요."

"아쉽게도 그럴 수는 없네. 이분들은 나 금적산의 초대를 받으신 손님들, 적어도 이 월아원 내에서는 내가 책임지고 신변을 보호하고 지켜 드려야 할 사람들이네. 아무리 태극천맹과 오대가문의 이름으로 나를 협박하려 들어도 소용없네! 내 목숨을 걸고 이들을 지킬 것이니 말일세!"

금적산의 말에 노기인들은 다시 한번 감탄했다.

'아깝구나. 저 담대함과 의기(義氣)만 보자면 무인으로 태어났어야 했다. 그렇다면 천하를 호령했을 텐데 말이지.'

강호인들, 특히 정파 백도의 인물들은 그 누구보다도

의기(義氣)를 중시했다.

의기는 곧 정의감에서 우러나는 기개를 뜻하며 곧 협의(俠義)와 일맥상통하는 단어였다. 약자를 구하고 곤궁한 자를 보살피며 동료를 위해 목숨을 던질 수 있는 의협(義俠)의 정신. 지금 금적산에게서 그 의협의 기개가 풍겨 나오고 있었다.

하지만 천소유는 한 점의 흔들림도 없는 표정을 유지한 채 금적산에게 최후통첩을 날렸다.

"무림오적은 무림의 공적(公敵)입니다! 그들을 보호하는 자는 그 누가 되었든 본 맹의 적으로 규정하겠습니다! 마지막 경고입니다! 그들을 내놓으세요!"

"거절한다!"

금적산이 소리치는 순간이었다. 천소유가 노기인들을 돌아보며 나직하게 지시를 내렸다.

"모두 사로잡으세요. 금적산도요."

3. 살명(殺命)

지시가 떨어졌다.

노기인들이 일제히 지면을 박차고 연못 위로 몸을 날렸다.

"다른 분들은 연못을 에워싸고 퇴로를 막으세요!"

천소유의 지시는 계속해서 이어졌다.

수십 명의 고수들이 사방으로 흩어져 연못 주변을 포위하듯 에워쌌다.

"도망치려 하는 자는 죽여도 좋아요!"

드디어 천소유의 입에서 살명(殺命)이 떨어졌다. 추격대 고수들의 눈가에 살기가 번들거렸다. 지금껏 겨우 억누르고 있던 살기가 단번에 폭발하면서 그들의 전신에서 서리서리 뿜어져 나왔다.

한편 노기인들은 단숨에 연못을 지나 정자를 향해 날아들었다.

십여 명의 노기인들 중 선두는 멸절사태였다. 그녀는 이곳에 도착한 이후, 주위는 아랑곳하지 않은 채 오직 한 명만을 노려보고 있었다. 무정검왕에게 중상을 입혔던 중년인. 멸절사태의 목표는 바로 그 중년인, 담우천이었다.

한 번의 도약으로 연못을 가로질러 정자로 날아든 멸절사태는 다짜고짜 담우천을 향해 선장을 휘둘렀다. 강맹한 기운이 담우천의 정수리를 향해 벼락처럼 내리꽂혔다.

담우천은 피하지 않고 검을 휘둘러 막았다. 선장과 검이 부딪치며 세찬 파열음을 일으켰다.

동시에 담우천이 자리를 벗어나 멸절사태의 뒤를 파고 들었다. 순간적으로 환영을 일으키며 자취를 숨기는 보법, 환섬신루(幻閃蜃樓)였다.

"흥!"

멸절사태는 코웃음을 치며 한 걸음 비켰다. 아주 단순하고 짧은 움직임이었으나, 멸절사태는 그 한 수의 발놀림을 통해 적의 공격을 피하고 자신을 방어할 수 있는 최적의 위치로 이동했다.

담우천은 연달아 환섬신루의 보법을 밟았다. 그의 신형이 나타났다가 사라지기를 반복하면서 그의 검은 연신 허공을 갈랐다.

반면 멸절사태는 한 걸음씩 움직였다. 어찌 보면 답답할 정도로 느린 동작이었으나, 그녀가 한 발을 옮길 때마다 절묘하게 담우천의 공격을 파훼하고 있었다.

"그 괴상망측한 보법은 이미 한 번 보여 주지 않았더냐!"

멸절사태는 크게 소리치며 선장을 내질렀다. 박달나무로 만든 선장은 공간과 공간 사이, 담우천이 나타났다가 사라지는 그 사이를 정확하게 꿰뚫었다.

"음."

짧은 신음과 함께 담우천의 움직임이 멈췄다. 그의 옷자락이 살짝 찢어져 있었다. 방금 전의 한 수로 아주 미세하게나마 멸절사태가 우위를 점한 것이다.

'역시 멸절사태야.'

멀리 떨어진 수상길 입구에서 지켜보던 천소유가 주먹을 불끈 쥐었다.

그건 멸절사태의 특기 중 하나였다. 한 번 본 것이라면 누구보다 빠르게 그 무공을 파훼하는 방법을 찾아내는 것, 그 능력이야말로 멸절사태가 지금의 위상을 이루게 된 근본이었다.

멸절사태는 이미 담우천의 무공에 대해서 잘 알고 있었다. 담우천이 무정검왕과 수백 합을 겨루는 현장에 있었으니까.

그녀는 무정검왕이 쓰러진 이후, 지금껏 곁에서 그를 돌보며 담우천의 무공을 파훼하는 방법에 대해 강구했다.

굳이 그녀가 이 추격대의 일원이 된 건, 천소유의 엄명이 무섭거나 두려워서가 아니었다. 이미 그녀는 담우천을 쓰러뜨릴 방법을 찾았던 것이다.

한편 한꺼번에 연못을 뛰어넘어 정자에 이른 노기인들은 각자의 상대를 찾아 사방을 두리번거리다가 이내 낙심한 표정을 지었다.

"다들 어딜 간 게냐?"

이때 정자에는 십여 명의 시녀들과 금적산, 그리고 담

우천과 강만리, 설벽린만이 남아 있었다. 그중 담우천은 멸절사태가 맡아 싸우고 있었으니, 노기인들의 몫은 우락부락한 멧돼지처럼 생긴 작자와 대조적으로 기생오라비처럼 생긴 청년뿐이었다. 당연히 허탈해질 수밖에 없었다.

강만리는 천천히 자리에서 일어나며 중얼거렸다.

"눈치껏 도망쳐라."

설벽린에게 하는 말이었다.

설벽린은 어깨를 으쓱거리며 대꾸했다.

"형님 걱정이나 하십쇼."

그는 한 걸음 앞으로 나서며 노기인들을 향해 손을 까닥거렸다.

"어느 늙은이부터 호된 맛을 보겠느냐?"

"허어."

능운추풍을 비롯한 원로회 노기인들이 기가 막히다는 듯이 혀를 찰 때, 홍염철검과 운룡신창이 당부하듯 말했다.

"경시하지 마시오. 저래 봬도 정말 강한 녀석들이니까."

사실 그들은 강만리나 설벽린과 손속을 나눈 적이 없었다. 단지 담우천이나 장예추, 화군악들이 강한 만큼 그 동료들 또한 만만치 않을 거라고 생각했던 것이다.

"당연한 말씀."

고목대사가 앞으로 걸어 나오며 말했다.

"호랑이가 토끼를 잡을 때도 전력을 다하는 법이니까. 이자는 내가 맡겠소."

고목대사는 말이 끝나기가 무섭게 설벽린을 향해 쌍장을 뻗었다. 묵직한 기운이 느릿하게 뿜어져 나왔다.

"훗, 겨우 이 정도로…… 헉!"

설벽린은 가볍게 코웃음을 치며 천천히 피하려다가 화들짝 놀라며 황급히 고개를 숙였다. 거대한 강물과도 같은 기운이 그의 정수리를 스치듯 지나쳤다. 조금만 늦었더라면 설벽린의 머리가 수박 통처럼 박살 날 뻔했다.

"누구냐, 너는!"

설벽린은 토끼처럼 폴짝폴짝 뛰어 거리를 두면서 소리쳤다. 고목대사는 아무 대꾸도 없이 앞으로 뻗은 두 손을 이리저리 움직였다. 그의 손에서 흘러나온 무형의 기운은 그 손짓에 따라 춤을 추듯 너울거리며 설벽린을 공격했다.

지켜보고 있던 노기인들이 절로 감탄했다.

"휘어지는 장력(掌力)이라니, 이런 건 처음 보오."

"이게 그 유명한 고목파동탄(古木波動灘)이라는 것이구려."

고목대사의 뜻과 의지에 따라 파도의 물길처럼 휘어지

고 꺾이는 장력.

손에서 떠난 검의 방향을 자유자재로 바꾸며 쉬지 않고 공격하는 검법이 이기어검(以炁馭劍術)이라면, 지금 고목대사가 펼치는 수법을 두고서 가히 이기어장술(以炁馭掌術)이라 부를 법했다.

설벽린은 그 놀라운 신위 앞에서 속수무책이었다. 그저 이리저리 날뛰듯 도망치면서 고목대사의 장력을 피하는 수밖에 없었다.

지켜보던 강만리가 눈살을 찌푸리고는 고목대사를 상대하기 위해 나서려 했다. 힘과 힘, 내공과 내공, 주먹과 주먹이라면 나름대로 자신 넘치는 강만리였다.

하지만 그 순간, 또 다른 노기인이 그의 앞을 가로막았다.

“자네는 내가 상대해 주지.”

능운추풍이었다.

바람보다 가볍고 아지랑이처럼 부드러우며 섬광처럼 빠른 신법과 보법의 고수.

우연인지 아니면 일부러 그렇게 배치한 것인지는 몰라도 능운추풍은 그 실력의 고하(高下)를 떠나서, 무디고 투박한 강만리에게는 확실히 가장 껄끄러운 부류의 상대였다.

그러나 강만리는 전혀 개의치 않았다. 그는 우두둑, 손가락 마디를 꺾으며 입을 열었다.

"한 방에 끝내겠소."

"허어."

탄식과 함께 능운추풍의 얼굴에는 어이가 없다는 표정이 떠올랐다. 강만리는 망설이지 않고 내력을 한껏 끌어올린 그대로 주먹을 휘둘렀다.

펑! 하는 굉음과 함께 대포의 위력이 실린 일격이 그의 주먹에서 터져 나왔다.

우르르!

동시에 정자의 기둥이 박살 나고 지붕이 무너져 내려앉았다.

(무림오적 40권에서 계속)